TOURISMUS

© 2021 Daniel Egger

1. Auflage. März 2021

Autor: Daniel Egger

Umschlaggestaltung: Daniel Egger

Verlag: Pereira & Egger Books, Innsbruck

ISBN–13: 978–3–9504957–1–3

FÜR ALLE VON UNS,
DIE FÜR VERÄNDERUNGEN
OFFEN SIND.

Danksagung

Dieses Buch wäre nicht möglich gewesen ohne die 53 Praktikern*innen des Bergtourismus aus Tirol und Südtirol. Es ist eine Sammlung aus deren Meinungen, Erwartungen, Hoffnungen und Perspektiven, wie sie die Entwicklung des Tourismus in den nächsten Jahren sehen. Mein herzlichster Dank geht an:

Andreas Lackner

Andreas Steibl

Bärbel Frey

Bernhard Wildauer

Björn Rasmus

Carla Laurino

Christian Girardi

Christian Pfeifer

Christian Pfister

Christian Klingler

Christian Turisser–Gala

Christian Schnöller

Christof Schalber

Diana Monnerjahn

Eva–Maria Hänel

Eva Patscheider

Elias Walser

Elisabeth Frontull

Evelyn Oberleiter

Hartwig Gerstgrasser

Helmut Dollnig

Ingrid Hofer

Jack Falkner

Josef Geisler

Klaus Egger

Karin Seiler–Lall

Manuel Lampe

Manuel Steinmair

Martin Ebster

Michil Costa

Noemi Call

Oliver Schwarz

Paul Strickner

Petra Fraune

Reinhard Lanner

Roland Volderauer

Robert Ranzi

Sabine Wechselberger

Franz Theurl

Stefan Fauster

Florian Ultsch

Stefan Isser

Franz X. Gruber

Stefan Mangott

Georg Giner

Thomas Schroll

Georg Kofler

Tobias Schrott

Götz Monnerjahn

Veronika Schalber

Hannes Lösch

Werner Call

Hans Kröller

Um was geht es in diesem Buch?

„Tourismus NEXT" ist ein aufrichtiges Buch voller Meinungen, wie die Praktiker*innen den Tourismus in den nächsten Jahren sehen. Eine kritische Selbstreflexion, was sie in den letzten Jahren richtig und was sie weniger geschickt gemacht haben. Es zeigt Herausforderungen auf, die es für die Tourismusindustrie in den nächsten Jahren zu bewältigen gilt. „Tourismus NEXT" ist daher ein Buch mit vielen Perspektiven: ehrlich, kritisch und praktisch.

Wichtig ist auch zu erwähnen, was es nicht ist. Es ist keine akademische Abwandlung, keine technologische Vorhersage und kein Verkauf von neuen Lösungen. Genauso wenig dient das Buch als Argument für oder gegen den Tourismus, es zeigt vielmehr eine neutrale Perspektive auf.

Index

Ein ehrliches Buch

Welche Meinungen fließen in das Buch ein?

Das Buch ist eine praktische Zusammenfassung von 53 mehrstündigen Tiefengesprächen mit Praktikern*innen, die vor der Corona Pandemie stattfanden und 28 Gesprächen während der Krise.

In diesen Unterhaltungen war mein Hauptziel, den Touristikern*innen zuzuhören. Ich wollte verstehen, was diese Entscheidungsträger*innen motiviert, was sie denken und wie sie die Zukunft mitgestalten werden. Daher ging es mir in den Gesprächen nicht nur um Meinungen, sondern auch weshalb diese existieren.

Das Resultat ist ein authentisches Buch, indem die Themen nicht vorstrukturiert waren oder abgefragt wurden, sondern sich aus den Gesprächen entwickelten.

Ob Landwirte*innen oder Eigentümer*innen eines Fünf–Sterne–Hotels, Schuldirektoren*innen oder Geschäftsführer*innen von Tourismusverbänden, Praktiker*innen jeder Generation: jede Aussage zählt.

Tourismus NEXT ist daher eine Zusammenfassung der Meinungen all der Gesprächspartner*innen, mit ihren Wörtern und Ausdrücken.

Wie wurden die Meinungen in das Buch eingearbeitet?

Alle Gespräche waren gemütlich, begleitet von Kaffee oder Tee. Mit allen Praktikern*innen wurde vereinbart, Zitate nur anonym wiederzugeben. Dies führte zu einem sehr angenehmen und ehrlichen Austausch.

Der Inhalt der Gespräche wurde aufgezeichnet, im Nachgang analysiert und in Themen strukturiert. Die Aufzeichnungen wurden anschließend gelöscht.

Um die Authentizität beizubehalten wurden der Ausdruck, die Sprache sowie die Wortwahl und die Redewendungen der interviewten Personen übernommen. Diese Wiedergabe der Aussagen war besonders wichtig, um die Inhalte so wenig wie möglich zu verfälschen.

Schlussendlich ist zu erwähnen, dass die persönlichen Ansichten der Praktiker*innen durch Anführungszeichen „" im Text hervorgehoben werden. Für eine bessere Lesbarkeit wurden diese Meinungen satztechnisch angepasst, der Inhalt der Aussage bleibt aber unverändert.

Wann wurden die Gespräche durchgeführt?

Die Personen, aus den verschiedensten Teilen des Tourismussystems, wurden von August 2019 bis Jänner 2020 persönlich getroffen. Während der Corona Pandemie wurden weitere 28 mündliche oder schriftliche Interviews zwischen März und August 2020 durchgeführt.

Wie wurden die Praktiker*innen ausgesucht?

Das Tourismussystem in Tirol und Südtirol ist komplex und reich an interessanten Persönlichkeiten. Um auf eine repräsentative Auswahl zu kommen, wurden drei Kriterien angewendet.

Als erstes wurde ein Schneeballsystem bis zur zweiten Weiterempfehlung angewendet, um die Meinungen der Touristiker*innen und Themen zu vertiefen. Das heißt, dass die Praktiker*innen, mit denen ich ein Tiefengespräch geführt habe, jeweils eine Person weiterempfohlen hat. Diese Touristiker*in habe ich ebenfalls interviewt, aber im Gespräch nicht nach weiteren Empfehlungen gefragt. Der Schneeballeffekt wurde so unterbrochen, um zu vermeiden, dass eine bestimmte Meinung im Buch überhand nimmt.

Zweitens wurde eine „typische Auswahl" angewendet und charakteristische Personen aus dem Ökosystem Tourismus ausgewählt. Das heißt, typische Entscheidungsträger*innen wurden kontaktiert, die einen starken Einfluss im Tourismus haben.

Schlussendlich wurden zu ausgewählten Themen aus den Gesprächen, weitere Praktiker*innen interviewt.

Wieso wurden Tirol und Südtirol ausgewählt?

Als regionale Abgrenzung wurden die Gespräche auf das Tourismusökosystem Tirol und Südtirol beschränkt. Einerseits wurde so ein Fokus auf den Tourismus im „Alpenraum" gelegt, andererseits eine bestimmte Breite für die Gespräche erreicht.

Die kulturellen Unterschiede waren für die Beurteilung der einzelnen Themen wichtig.

Wenn nicht anders in den Kapiteln erwähnt, gelten die Meinungen für beide Regionen. Falls eine Thematik nur für Tirol oder Südtirol gültig ist, wird darauf hingewiesen.

Welche Methodik wurde ausgewählt?

Es handelt sich um ein „Exploratority Design Interview" mit speziellem Fokus auf „Design Ethnographie."

„Exploratority Design Interview" ist eine Art Tiefengespräch und wird oft verwendet, um ein Thema ohne vorgefertigte Meinung zu beleuchten. Es geht bei dieser Methodik darum, etwas „herauszufinden" und nicht Meinungen abzufragen. Im Falle des Buches war diese Neutralität wichtig, da ich nicht meine Meinung in den Vordergrund stellen wollte. Vielmehr lag der Fokus darauf, den Praktikern*innen zuzuhören und die aufkommenden Themen in den Gesprächen zu verstehen.

Den Grundstein bildet daher ein „aktives Zuhören" und eine vertrauensvolle Beziehung. Dadurch werden die gefühlsbetonte Reaktion, die tieferen Werte, die Motivationen und die Bedenken in dem Gesagten auch analysiert. Bei den Gesprächen kann daher besser verstanden werden, warum eine Meinung existiert, wieso die Person die Meinung vertritt und/oder ihre Entscheidungen trifft.

Für das Buch bedeutet dies, dass Emotionen, die Wortwahl und etwaige Wiederholungen der Praktiker*innen in die Analyse der Meinungen eingeflossen sind.

Was erreicht man mit einer solchen Art von Gesprächen?

Für mich war es wichtig, ein Buch zu schreiben, das die Meinung der Praktiker*innen wiedergibt. Dies war durch die offenen Gespräche möglich, welche den Grundstein legen, um die relevanten Themen der einzelnen Gesprächspartner ohne Vorgaben zu finden. Eine solche Art der Erhebung und Analyse der Meinungen hat auch seine Limitierungen.

Die Resultate haben keine statistische Relevanz, bieten aber den Nährboden, um Themen aufzugreifen und weiter quantitativ zu vertiefen. Die Analyse in diesem Buch repräsentiert vielmehr Wahrscheinlichkeiten und unterliegt den Probabilitätstheorien, das heißt, die Wahrscheinlichkeit, dass die Praktiker*innen ohne aktive Orientierung zu den gleichen Aussagen kommen.

Wie waren die Gespräche strukturiert?

In allen Tiefengesprächen stellte ich die gleiche Anfangs– und Schlussfrage. Dazwischen wurden nur Verständnisfragen gestellt, um die Aussagen besser zu verstehen. Das bedeutet, dass eine sehr geringe Interferenz bezüglich meiner Präferenzen stattgefunden hat.

Denn in diesem Buch stehe nicht ICH im Vordergrund, sondern die einzigartigen Menschen, mit denen ich Gespräche geführt habe.

Werden einzelne Leute namentlich zitiert?

Nein. Das geschenkte Vertrauen der Praktiker*innen und deren Aussagen haben für mich die höchste Priorität. Das bedeutet auch, dass keine Person namentlich im Buch zitiert wird.

Was ist meine Meinung zum Thema?

Meine Meinung ist hier von geringer Bedeutung. Das Buch dreht sich um die Perspektiven der Praktiker*innen.

Vor–Nach Corona, wie war das möglich?

Auch ich wurde von Corona überrascht. Dank der Offenheit der Personen, mit denen ich ein Tiefengespräch geführt hatte, wurden schriftliche und/oder mündliche Folgekontakte in der Krise durchgeführt. Dabei wurde der Fokus auf die Veränderung gelegt, die Corona mit sich bringt.

Die Perspektive „Corona" wird mit einer anderen Schriftart und kursiv hervorgehoben und die Aussagen immer am Ende jedes Themas angeführt.

Wichtig!

Die Praktiker*innen leben alle eine Leidenschaft für den Tourismus.

Dieses Gefühl möchte ich in folgender Art und Weise schätzen, indem ich das „wir" im Buch in den Vordergrund stelle.

Allerdings drückt das „wir" keinesfalls aus, dass ALLE Praktiker*innen derselben Meinung sind.

Falls eine mehrheitliche Ansicht existiert, wird das durch „mehrheitlich", „viele" oder ähnliche Formulierungen im Text erwähnt.

Ebenso wurde eine Geschlechterneutralität in das Buch eingearbeitet, auch wenn dadurch die Lesbarkeit erschwert wird. Diese Neutralität ist für mich im Tourismus wichtig, denn „wir leben immer noch eine männerdominierte Realität, in der die Frauen, obwohl sie hart arbeiten, zu wenig in den Vordergrund treten".

Wer sind wir?

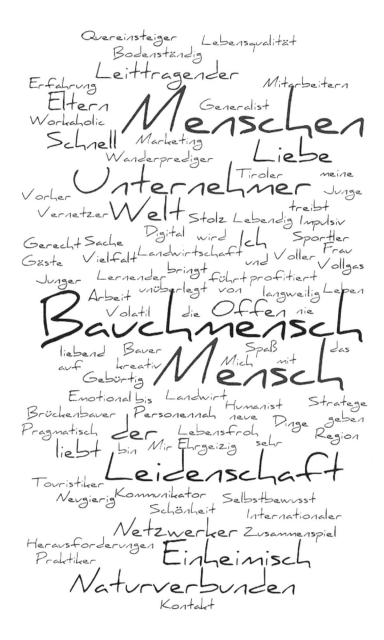

Tourismus

NEXT

NEXT – NICHT „WEITER SO"

„Ganz einfach, wir dürfen nicht so weitermachen, den Einheitsbrei leben und altbekannte Muster predigen." „Weder Jung noch Alt sollte so weitermachen." „Ein Fortsetzen, was wir in den letzten 20 Jahren gemacht haben, würde uns in sehr kurzer Zeit abstürzen lassen." „Die Ausbeutung der Gäste, der Mitarbeiter*innen oder der Natur muss geändert werden, oder anders gesagt: So weitermachen wie gewohnt geht nicht mehr." Das weitaus wichtigste Thema ist also: „Keinesfalls weiter so."

„Nicht Bettenwachstum, nicht noch mehr Verkehr, nicht mehr nur das Gleiche." Hier sind wir uns fast alle einig. Wir dürfen nicht so weitermachen. Nicht weiter nur kopieren. Nicht ausschließlich auf Superlative setzen.

Doch viele von uns sind der Meinung, dass „solange kein finanzieller Druck existiert, wir so wie immer weitermachen werden". Denn wir glauben, dass „die Anzahl der potenziellen Gäste unweigerlich in den nächsten Jahren wachsen wird". Oder anders ausgedrückt, „wir können uns gar nicht so blöd anstellen, dass weniger Touristen*innen kommen".

*Doch haben sich einige von uns Praktikern*innen das gewünscht, was nun durch Corona eine Realität wurde. Einige von uns erhofften sich eine Marktbereinigung. Wieso? Um den Tourismus zu überdenken wie auch unser aktuelles Handeln, die Positionierungen und die Angebote. Wir argumentieren, dass wir zu viel Gleiches leben und dies einer der Gründe ist, wieso der Tourismus nun eine Sättigung erlebt. Natürlich* *wünschte sich niemand von uns diese Situation, mit der Geschwindigkeit, dem Ausmaß und der Dauer.*

Aber jede Krise birgt auch Möglichkeiten in sich und umso stärker sie ist, desto mehr Willen haben wir, uns zu verändern. Je länger die Krise dauert, umso wahrscheinlicher ist es, dass der Mensch sein Handeln verändern wird. Corona hat beides: Ein globales dramatisches Ausmaß und eine Dauer von über einem Jahr.

Doch auch durch diese Krise ist die Mehrheit von uns nicht sicher, dass sich der Tourismus grundlegend verändern wird. „Das alte Rezept funktioniert noch zu gut."

NEXT – BEREITSCHAFT ZUR VERÄNDERUNG

„Wir haben die Gäste, die wir uns verdienen, doch sind wir damit glücklich in der Region?" „Verändern müssen wir uns und hier sollten wir bei uns regional anfangen." „Die Regionen müssen mehr Offenheit zur Veränderung zeigen." „Wir müssen die Perfektion meiden. Sie ist der Feind jeder Veränderung." „Wir dürfen uns nicht ausruhen. Nie ausruhen. Sich ausruhen ist langsam, ist der Tod."

Wir sehen, dass Veränderung notwendig ist, denn „da passt viel nicht mehr im Tourismus". „Wir dürfen nicht glauben, dass wir auf der Weisheit sitzen und so wie bisher weitermachen können, denn dann haben wir ein Problem."

Doch das bedeutet nicht, dass wir keine Wertschätzung für die Generation unserer Eltern und Großeltern zeigen. Oder dass wir unverschämt sind und glauben, alles besser zu wissen.

Nein und Nein.

Natürlich sind wir den vorigen Generationen dankbar, dass sie uns die heutige Realität ermöglichen. Dass wir heute die Freiheit haben, unseren Tourismus zu hinterfragen.

Doch sind wir Praktiker*innen überwiegend der Meinung, dass wir uns ändern müssen. Der Tourismus, den wir kennen, hat eine kritische Marktsättigung erreicht. Wir leben eine Gleichheit von Angeboten und Erlebnissen. All dies hat uns zerbrechlich gemacht. Die aktuelle Krise ist das beste Beispiel dafür. „Vielen von uns wurden regelrecht beide Beine gebrochen."

Daher, auch wenn unsere Meinung unangenehm ist, wir können nicht so weitermachen. „Ohne Veränderung schaffen wir nicht mehr Wertschöpfung."

Das bedeutet „für uns weniger Kleinkariertheit und mehr Weitsicht". „Weniger Arroganz und mehr Gemeinschaftlichkeit." „Weniger Ignoranz und mehr über den Tellerrand hinausschauen."

Verändern ja, aber in welche Richtung?

Wir brauchen keine Schilder: „Hier geht es zur Kuh". Nein, wir müssen unsere Einzigartigkeiten der Region, unsere Traditionen und Werte authentischer in das Angebot einbinden. „Unsere Strategie darf kein Marketingspruch mehr sein." Unser Brauchtum, unsere Rituale, unsere Überlieferungen, alles, was die Region ausmacht, sollte in unsere Positionierung eingearbeitet werden.

Das bedeutet, „wir benötigen neue Perspektiven und Mut zur Veränderung", Courage zu einer stärkeren Gemeinschaftlichkeit, Mut anders zu denken. „Aber bitte alles authentisch, denn wir wollen kein billiges Las Vegas werden. Nicht im Tal und nicht am Berg."

Wir dachten, dass wir uns langsam Schritt für Schritt verändern könnten. Wie sehr täuschten wir uns. Corona hat uns zu 100 % entschleunigt und zeigt die Extreme im Tourismus auf: Stillstand, Erfolg, Stillstand. „So was hätte ich mir im Tourismus nicht vorstellen können. Wir sind normalerweise krisensicher." Doch auch wenn heute noch jeder von Corona redet, die Krise wird gehen. Die Frage stellt sich: Was wird im Tourismus bleiben? Hat die Mehrheit von uns Praktikern*innen die Zeit genützt, um sich zu verändern?

„Viele unserer Kollegen*innen stehen immer noch wie die Hamster in den Startlöchern und wollen einfach so weitermachen."

Verständlich wie auch notwendig ist es, dass wir unsere entgangenen Einnahmen so schnell wie möglich ausgleichen müssen. Doch falls wir diesen Weg weiter gehen, was machen wir dann mit dem Wunsch, uns zu verändern? Dieser scheint wieder nach hinten geschoben zu werden. „Zeit, um anders zu sein, werden wir in den nächsten Jahren schwer finden."

Doch jede Krise bringt viele Möglichkeiten mit sich, wie hart und schlimm sie uns auch trifft. So liegt die Entscheidung bei uns, ob wir die Möglichkeiten aktiv suchen werden oder ob wir das neue Potenzial ignorieren.

NEXT – NEUE IDEEN

„Jede Zeit hat ihre Visionäre*innen, aber die Frage stellt sich: Wo sind sie heute?" „Jene, die nicht für Bewunderung und medialen Eigennutz tätig sind, sondern um des Tourismus Willen?" „Die Zeit der charismatischen Pioniere*innen der letzten Generation ist schon vorbei." „Zurzeit entwickeln wir den Tourismus nur in die Richtung weiter, die einzelne Pioniere*innen uns vorher aufgesetzt haben."

Für unsere aktuellen Herausforderungen, von der Bewältigung der Krise bis zum Ausbruch aus der Marktsättigung, brauchen wir aber etwas Neues. „Einige von uns glaubten, dass die Sättigung uns nie erreichen wird, dass wir anders als die Schweiz sein werden." Doch sie ist schon hier, und „es hilft nichts, am vergangenen Erfolg festzuhalten".

Nun sind wir uns fast einig. Wir brauchen einen neuen Schwung nach oben. Einen Ausbruch aus der „Visionslosigkeit, die viele von uns noch leben". „Dass wir in die Welt hinausschauen und nach neuen Lösungen suchen."

Diese Meinungen sind heute viel wichtiger als noch vor zwölf Monaten, denn wir in der Tourismusindustrie und in der Gesellschaft sind dramatischen Veränderungen unterworfen. Von Politik bis Industrie, von den Einheimischen bis zu den Gästen; alles ist anders. „Natürlich können wir versuchen, hier weiter auf beiden Augen blind zu sein." Wir können, ohne uns zu verändern, weiter die täglichen operationalen Aufgaben priorisieren. Auch steht es uns frei zu versuchen, aus der schweren wirtschaftlichen Situation allein auszubrechen. Wir haben auch die Freiheit zu argumentieren, dass wir keine Zeit und kein Geld haben, uns zu verändern.

Doch viele von uns sehen, dass wir die Krise und die Sättigung nur gemeinsam stemmen können. Dass wir starke Konzepte und neue mutige Persönlichkeiten benötigen. Denn Aussagen wie „wir haben es schon immer so gemacht" oder „wir kennen den Tourismus in- und auswendig", können den Abschwung kaum aufhalten. Ein Ausbrechen aus dem Alltagstrott ist notwendig.

Wie nennen wir nun diese Menschen, die uns hier helfen sollten, den Schwung wieder zu finden? Vorreiter*innen, Pioniere*innen, Andersdenkende, Provokateure*innen oder sogar Visionäre*innen?

Die Namen, die wir ihnen geben, sind unwichtig. Wir suchen Menschen, die die Notwendigkeit erkennen und anders handeln. Menschen, die uns motivieren und denen wir zuhören. Das sind diese Leute, die wir benötigen, die „nicht immer alles wie immer machen wollen". Es sind diese Personen, die unglücklich damit sind, „dass wir die Monokultur im Tourismus leben", Menschen mit anderen Lebenserfahrungen, weltgewandte Experten*innen, mutige Praktiker*innen, jung oder alt. Jedoch wichtig: mit Schwung und Perspektiven.

Oft vermarkten sich diese Personen weniger und sind daher schwerer zu finden. Umso wichtiger ist es, dass wir jene

Vorreiter*innen fördern. Dass wir in sie investieren, sie ins Rampenlicht setzen und bekannt machen. „Das müssen nicht immer unsere Kinder sein." Wir können Professionelle aus anderen Industrien abwerben, „Menschen, die Menschen verstehen", innovative Berater*innen oder auch erfolgreiche Start–ups aus der Tourismusindustrie zu uns in die Regionen holen.

Aber wichtig: Menschen ehrlich und authentisch. Persönlichkeiten mit der Bereitschaft zu motivieren und der Offenheit, gemeinschaftlicher zu handeln. Denn „neue Konzepte, die Menschen, Regionen und Personen anders verbinden, werden in den nächsten Jahren einen großen Unterschied machen".

Unabhängig von den Ferienregionen, brauchen wir solche inspirierenden Menschen, denn wir hatten immer unseren „Leithammel". Das ist weder negativ noch positiv gemeint, „sondern, es ist so, wie viele von uns ticken". Wir brauchen neue „Leithammel" und zeitgemäß auch mehr „Leitauen".

*Corona hat einen interessanten Nebeneffekt. Der Tourismus ist medial so präsent wie noch nie. Jeden Tag gibt es Meldungen, aber leider zu wenig positive. Experten*innen, Theoretiker*innen und Praktiker*innen werden interviewt. Nach ihrer Meinung zu Corona und dessen Auswirkungen befragt.*

Doch auch hier greifen die Medien nicht auf die Vielfalt von neuen Meinungen zurück, sondern laden bekannte Gesichter mit ihren bewährten Ideen zum Gespräch ein. „Vielleicht machen sie das bewusst, um das Image des Tourismus als Stillstand zu bezeichnen?" Oder sie ignorieren, dass auch wir im Wandel sind?

Eines ist sichtbar: Neue Pioniere*innen kommen wenig zu Wort. Meinungen von Start–ups liest man selten. Meinungen von modernen Praktiker*innen werden ignoriert.

Das muss uns zu denken geben. Falls wir nicht einmal in der Krise und dem großen medialen Interesse im Tourismus unsere neuen Visionäre*innen finden und ins Rampenlicht stellen, wann dann? Wie können wir garantieren, dass wir diese Menschen finden und sie besser fördern?

Doch liegt die Schuld keinesfalls allein bei den Medien, dass sie die gleichen Visionen der letzten 10 Jahre immer noch kommunizieren, dass auch sie die Gleichheit predigen. Vielmehr müssen auch wir uns anstrengen, nicht nur die neuen Pioniere*innen zu finden, sondern ebenso dafür zu sorgen, dass sie gehört werden.

NEXT – RAUS AUS DER SÄTTIGUNG

„Wir buggeln, buggeln und buggeln und wurschteln uns durch, bis nichts mehr möglich ist." „Unser Ziel war mehr Wachstum, mehr Betten, weiter, schneller und mehr vom Gleichen." „Wir wurden von Gewohnheit und Erfolg getrieben." „Nun leben wir diese Monokultur, die sehr gefährlich für uns ist." „Wir haben eine Marktsättigung im Tourismus erreicht." „Unsere Realität ist nicht anders als die in anderen Gebieten." „Wir haben es ignoriert, wollten nichts wahrhaben." „Das einfache Wachstum scheint, außer in einigen wenigen Regionen, vorbei zu sein." „Die Grundgier im Tourismus hat uns geblendet."

Ob Übernachtungen, Ankünfte, Auslastungen oder Aufenthaltsdauern, wir wollten immer mehr. So sehen wir heute ein verlangsamtes Wachstum im Tourismus, eine Marktsättigung. Bei diesem Thema, sind wir Praktiker*innen uns überwiegend einig. „Wir stehen an einem Wendepunkt und es wird sich zeigen, ob wir so weitermachen, anders handeln oder ganz einfach schrumpfen werden."

Es hängt nun von uns ab, wie wir mittelfristig weiterarbeiten. Denn schlussendlich ist diese Sättigung des Marktes ein Resultat von jedem einzelnen Betrieb, eine Folge von unserem gemeinsamen Handeln der letzten Jahre. So brechen einzelne Betriebe nach unten aus, andere schaffen den Schwung zu einem weiteren Wachstum, „aber zurzeit tummeln wir im Tourismus so vor uns her".

Natürlich ist die Wachstumskurve auch ein Resultat des generellen Reiseverhaltens und der gesellschaftlichen und wirtschaftlichen Veränderungen. Das können wir aber nur bedingt beeinflussen.

Was aber in unseren Händen liegt ist, mit welcher Qualität wir die touristischen Angebote und Kundenerlebnisse anbieten. „Jeder von uns entscheidet die Positionierung, die er fährt." Die Gäste, die wir uns wünschen, sind daher ein Resultat aus den Werten, die wir leben.

Um aus der Marktsättigung auszubrechen, müssen wir uns die Frage stellen: Was können wir alle beitragen, um den Schwung nach oben, also einen Ausbruch aus der Sättigung, zu schaffen? Einfach wird das keinesfalls.

Unsere Gewohnheiten der letzten Jahrzehnte und deren Auswirkungen machen uns heute Sorgen. Die Schulden, die wir aufgenommen haben, verringern unsere Bereitschaft uns zu verändern. „Dazu kommt noch, dass wir durch den Erfolg stur geworden sind." So ist es nicht verwunderlich, dass „wir auf den kommenden Wandel wenig vorbereitet sind".

Was uns bleibt ist die Sorge, dass unsere aktuelle Strategie nicht mehr zukunftsfit ist. Es bleibt eine Unsicherheit, dass wir nicht mehr so wachsen können wie früher. Doch haben wir auch Angst, uns zu verändern. Denn jede Veränderung birgt ein Risiko in sich. „Mit so viel Gedanken im Kopf ist es nicht verwunderlich, dass viele von uns ihn lieber in den Sand stecken, als nach vorne zu schauen."

Wir argumentieren, dass wir im Alltag gefangen sind und keine Zeit haben. Doch andere finden zu solchen Aussagen kritische Worte: „Keine Zeit und kein Geld, das lass ich in Tirol nicht gelten."

Falls wir uns nicht verändern, hat dieses Verhalten klare Konsequenzen. „Es darf keinen überraschen, wenn es zu einer natürlichen Auslese kommen wird, die wir ehrlich gesagt im Tourismus auch brauchen." „Denn die vielen Mitschwimmer und Preiskämpfer leisten keinen positiven Beitrag für unsere Regionen." Noch dazu kommen die „10–15 % der Betriebe, die sich nicht verändern wollen".

Doch falls wir nicht offen für Veränderungen sind, was ist unsere Lösung, um aus der Sättigung nach oben auszubrechen? Einige von uns sehen als Antwort zu dieser Frage eine geschärfte, authentische Positionierung der Regionen und Betriebe. Die große Mehrheit der Praktiker*innen bevorzugt einen neuen Qualitätsgedanken in Verbindung mit einem „Mescheln".

Wir müssen wieder mehr das Gemeinschaftliche und den Menschen in den Mittelpunkt stellen. Ein Wachstum der Wertschöpfung, ein stärkerer Bezug zu der regionalen Kultur. Außerdem kann uns die neuerliche Entdeckung unseres wertvollen Brauchtums einen weiteren Schwung nach oben geben.

Auch wenn die Wege noch nicht klar sind, die wir beschreiten werden, eines wissen wir: die Sättigung ist Realität.

Wir machen uns über unseren Tourismus Sorgen und es scheint, wir sind bereit zum Handeln. Nicht allein, sondern als Region, Bundesland und Land. Denn die Marktsättigung haben wir gemeinsam erreicht und nur miteinander können wir ihr entkommen.

Nun leben wir Corona und doch investieren viele in neue Hardware und Upgrades. Wir halten an den altbekannten Themen fest, die uns in diese Sättigung gebracht haben. Wenige von uns scheinen zu überlegen, wie der Tourismus anders sein könnte. Diese Blindheit hält uns noch gefangen mit dem Risiko, einfach wie immer weiter zu machen.

Viele kleine Betriebe werden wegbrechen, Hotels in Wohnungen umgebaut oder an Investoren verkauft werden. Alles Anzeichen dafür, dass wir aus der Sättigung nach unten ausbrechen.

Doch auch mit Corona haben einige von uns Praktiker*innen Zweifel, ob wir uns verändern können und werden. „Vielleicht ist die aktuelle Krise noch zu schwach, um eine flächendeckende Veränderung im Tourismus zu erreichen."

NEXT – MUTIG UND ANDERS SEIN

„Wir müssen Mut haben, anders zu sein." „Wir brauchen Mut, um unseren Gästen nicht immer nur das Gleiche anzubieten." „Wir müssen den Mut haben, aus dem Einheitsbrei auszubrechen." „Wir müssen mutiger sein und neue Ideen probieren." „Der unternehmerische Mut fehlt." „Wir Praktiker*innen und auch die Politiker*innen brauchen Mut, einen neuen Weg im Tourismus einzuschlagen." „Wir sollten endlich akzeptieren, wie Tirol ist." „Jene von uns, die mutig sind, werden überleben."

Doch sind wir nicht alle mutig? Haben nicht viele von uns Millionenkredite laufen, bauen immer weiter aus, renovieren und investieren? Ja, aber „wir haben ebenso schon gelernt, mit den Schulden zu schlafen und Kredite sagen wenig darüber aus, ob wir uns in eine positive Richtung entwickeln."

Es läuft wieder darauf hinaus, dass wir das Gleiche, die Sicherheit wertschätzen. Das ist keinesfalls etwas Neues für uns Praktikern*innen. Diese Strategie funktionierte bis jetzt sehr gut und so hatten wir mehr Zeit, um uns um das Tagesgeschäft zu kümmern. „Es funktionierte, auch wenn viele von uns vor sich hin wurschtelten."

Doch falls sich unsere Realität im Tourismus unerwartet ändert, dann haben wir ein Problem. So wie heute, einer Zeit, in welcher eine Pandemie jegliche Logik auf den Kopf stellt, eine Marktsättigung, die wir in vielen Regionen sehen, eine heranrollende Welle der Digitalisierung und die Veränderung grundlegender gesellschaftlicher Werte. All dieser Wandel bereitet vielen von uns Kopfschmerzen. Nicht, weil wir diese Veränderungen nicht verstehen, sondern, weil es keine Garantie gibt, dass unsere alte Strategie „weiter so und mehr vom Gleichen" weiterhin funktionieren wird.

Es scheint, wir müssen uns nun verändern oder einfach so weitermachen mit der Klarheit, dass wir langfristig schwer überleben werden. Beides sind gültige Entscheidungen, nur müssen wir sie akzeptieren.

Falls wir unseren Betrieb weitergeben möchten und uns weiterentwickeln wollen, dann heißt es, wieder mutig zu sein, so wie früher. Waren wir nicht in den Achtzigern viel experimentierfreudiger? Wo ist diese Lust geblieben, neue Ideen und Konzepte auszuprobieren? „Von unserem früheren Mut zu experimentieren, ist heute wenig übriggeblieben."

In den letzten Jahrzehnten haben wir die Konzepte gefunden, die zu uns passen, nur „dürfen wir uns jetzt keinesfalls auf der Weisheit ausruhen". Wir müssen aufstehen und erneut hinterfragen, welche neuen Ideen sich für uns eignen. Doch heute sind die Herausforderungen größer als früher. Zu viel wurde standardisiert, zu viele Tourismusberater*innen bieten das Gleiche an, zu viele Angebote sind ähnlich.

Bei den Beratern*innen merken wir schon, dass „jene, die mit uns groß geworden sind Ideen vorschlagen, die wir eigentlich schon kennen". „Einerseits zu viel touristische Infrastruktur, andererseits fühlt es sich so an, als würden wir in einem Katalog einkaufen." Doch: „vielen von uns gefällt das", denn wir können schnelle Entscheidungen treffen und uns gleich wieder dem Alltagsgeschäft widmen.

Allerdings stellt sich die Frage, ob der heutige Katalog mit all seinen Ideen und Konzepten ausreichend ist, um uns auf morgen vorzubereiten. Ob wir uns mit diesen Lösungen den kommenden Herausforderungen stellen können. Geben uns diese Ideen den benötigten Schwung, um aus der Marktsättigung auszubrechen? Können wir damit unser aktuelles Bettenwachstum in eine Erhöhung der regionalen Wertschöpfung umwandeln?

Es scheint vielmehr, „es werden uns Lösungen verkauft, die einfach sind, die alle kennen, die ähnlich sind." Denn mit einem standardisierten Ansatz kann mehr und schneller vertrieben werden. Sie leben „ich biete an, was ich weiß." Ob die verkauften Ideen die richtigen sind, das sei aber dahingestellt.

„Aus der Gleichheit auszubrechen, nein zu sagen oder ich will mehr, braucht daher Mut." Denn eine standardisierte Lösung hilft uns genauso wenig wie eine, die keinen Mehrwert erzielt oder uns keine neuen Gäste bringt. „Wir müssen den Tourismusberatern*innen ein kritisches Denken abfordern." „Wir brauchen Leute, die sich auf unsere spezielle Realität einlassen die uns, unsere Familie, Region und Tradition verstehen."

Ja, diese Art der Beratung kostet mehr und braucht mehr Zeit, doch die Frage stellt sich: wollen wir richtig oder schnell beraten werden?

Es sollte noch erwähnt werden, dass natürlich einige Berater*innen mit vollem Herzblut dabei sind, die mit uns eine Beziehung eingehen und kein Verkaufsgespräch führen. Doch die „guten Berater*innen werden wenig weiterempfohlen in der gleichen Ferienregion. Zu oft herrscht noch das Wettbewerbsdenken bei uns. Denn wir sind doch noch alle gleich."

Was machen wir, wenn wir keine Berater*innen wollen oder keine guten finden? „Dann setzen wir uns an unserem Stammtisch zusammen, treffen uns mit alten Kollegen*innen oder reden mit unseren Kindern."

Aber laufen wir nicht, speziell im Austausch mit den bekannten Kreisen, den alten Themen wieder hinterher? Diskutieren wir dann nicht Lösungen, die vielleicht für unsere Kollegen*innen passen, aber nicht unbedingt für uns? Besteht dann nicht schon wieder das Risiko, die gleichen Ideen unserer Nachbarn zu übernehmen?

Dann bleibt noch die nachfolgende Generation, unsere Kinder. Bei den Ideen der Jungen sind wir zu kritisch. Wir wünschen uns, dass sie uns helfen werden wieder mehr zu experimentieren. Dafür haben wir sie raus in die Welt geschickt und bereiten sie schon seit Jahren für eine mögliche Übernahme des Betriebes vor. Doch es fühlt sich für uns an, dass „ihre Ideen und was sie eigentlich sagen wollen, wenig klar ist". Denn die neue

Generation tickt anders und wir hören oft noch zu wenig zu oder uns fehlt die Zeit und die Geduld. Das ist speziell dann der Fall, wenn sie alte Muster hinterfragen, die uns groß gemacht haben. „Viele Ideen haben sie schon, die Jungen." Wir haben ihnen die Freiheit dafür gegeben, die uns in unserer Jugend fehlte." „Sie konnten die Welt sehen und neue Erfahrungen sammeln."

Das heißt, wir haben in sie investiert und nutzen heute doch nur einen Teil des Potenzials unserer Kinder. Nur wenige von der vorigen Generation sagen, „sie sollen sich die Nase blutig schlagen mit ihren Ideen und ich hoffe, dass der Betrieb dabei überlebt". Die Mehrheit von uns setzt aber das Potenzial der Jungen nur bedingt im Betrieb ein. So arbeiten sie ein wenig mit den sozialen Medien, stimulieren unser Umweltbewusstsein und das war es dann schon.

Doch schlussendlich wird die nächste Generation unsere Betriebe und Regionen leiten. Hier stellt sich die Frage: Wie können wir ihnen helfen, sich auf die unternehmerische und die strategische Leitung vorzubereiten? Mit neuem Mut und Offenheit, uns auch aktiv zu hinterfragen?

Allerdings vertreten einige von uns die Meinung, dass „wir noch am längeren Hebel sitzen, krisenerfahrener sind und den Tourismus besser verstehen".

Corona hat nun die Angst weiter geschürt, dass wir uns verändern müssen. Doch sind uns eigentlich Krisen keinesfalls etwas Neues.

Während der Russlandkrise in den späten 90ern brach der Markt um einen mittleren zweistelligen Prozentsatz ein. Viele von uns überlebten, manche aus Glück, andere, weil sie sich schnell anpassten und Gäste aus anderen Ländern in den Regionen aufnahmen. Allerdings „ist Corona noch eine Dimension härter, denn die Nachbarländer sind ebenfalls im Lockdown". „Wir merken nun das erste Mal, dass wir wenig machen können. Dass wir fremdbestimmt werden von der Krise und der Politik."

Auch wenn wir uns Corona heute hingeben müssen, so haben wir die freie Wahl, wie wir uns morgen aufstellen. Doch „viele von uns werden auch nach Corona einfach so weitermachen und versuchen zu überleben". Die von uns, die als Gewinner*innen hervorgehen, sind schon mutiger, denken anders und sind unzufriedener, alles gleich zu machen. Diese Betriebe werden besser und profitabler in den Krisenzeiten sein, als jene die einfach so weiter machen.

Corona war nicht unsere erste und wird sicherlich nicht unsere letzte Krise sein. Die Frage stellt sich, ob wir uns nun aktiv auf die nächste vorbereiten oder darauf hoffen werden, dass jede so schnell wie möglich vorbeigehen wird.

NEXT – WENIGER SUPERLATIVE

„Mehr Betten, mehr Pistenkilometer, den besten Sommer, den besten Winter. Wir brauchen immer mehr." „Falls wir nicht wachsen und alles mehr wird, dann jammern wir." „Mehr, weiter, schneller, machte uns groß, aber es machte uns auch zerbrechlich."

Wir lebten von den Superlativen und dem Status. Jedes Jahr wurde von uns mehr Wachstum gefordert und wir konnten dies durch unsere harte Arbeit liefern.

Auch wenn wir erfolgreich waren, scheint es, dass wir uns gleichzeitig weiter von der Bevölkerung distanzierten. „Wir Praktiker*innen haben den Bezug zu den Menschen verloren." „Wir haben uns distanziert von den Leuten rund um uns herum." Das Wachstum war uns wichtiger.

So müssen wir nun mit den Konsequenzen leben. Die Einheimischen sind verärgert. Schlimmer noch, sie hinterfragen uns laut und aktiv. Die Bevölkerung versteht nicht, wieso wir immer noch besser und schneller sein wollen. Wieso wir die wildesten Partys feiern, die größten Autos fahren müssen, Millionen in ein neues Projekt investieren.

„So lassen sich die Einheimischen immer weniger durch unseren Erfolg beeindrucken." „Das Protzen und das Jammern ist wenig zeitgemäß und verstärkt nur die negative Meinung über uns."

Es spielt uns heute keinesfalls positiv in die Hände, dass wir das Wachstum vor die Mitarbeiter*innen, vor die Einheimischen, oft sogar vor die Familie gestellt haben. „Wir haben verlernt zu menscheln." Aber war es nicht diese Beziehung, die uns in den Bergen früher ausgezeichnet hatte? Die die Gäste anlockte? In den Jahren ist diese „Gastfreundschaft" dem Wachstum gewichen. Der größte Fehler wäre anzunehmen, „dass wir so weiter wachsen können wie immer". Dass wir Wachstum vor den Menschen stellen können.

Nehmen wir zum Beispiel die Pistenkilometer eines Skigebietes. „Wie kann der Tourist hunderte von Kilometern genießen? Soll er nicht, denn die Pistenkilometer sind für die Pressemappe." Wieder größer, besser und schneller. Die Superlative finden wir überall und sie werden zu oft der realen Wertschöpfung vorangestellt. Möchten die Gäste mehr Pistenkilometer oder „auf einer guten Piste gemütlich fahren, ohne nach hinten und vorne schauen zu müssen aus Angst vor einem Zusammenstoß?"

Auch müssen wir uns fragen, ob wir unsere Besucher*innen mit einer zu großen Auswahl an Möglichkeiten und Angeboten überfordern. „Es wird zu viel angeboten, die Gäste werden überfordert und können nur einen Bruchteil davon in der Region erleben." Das ist nicht unbedingt positiv, denn sie fühlen sich gestresst und können sich schwer entscheiden, welche Angebote sie ausprobieren sollen.

Nicht immer „besser, schneller und mehr" ist die Zukunft, „sondern vielmehr sehen wir sie in der Beziehung zwischen den Menschen, das Menscheln, unsere Einzigartigkeit neu zu entdecken und nach außen zu tragen". „Wir müssen wieder zurück zum Original, dahin was uns ausmacht." Vielleicht ist weniger mehr?

Die Fragen, die sich in der Krise stellen, sind keine einfachen. Wie überleben wir? Sollen wir wieder zurück zum Wachstum? Wenn wir den Gästen weniger Après–Ski anbieten, kommen sie dann noch? Wie würde sich das Gästegefüge ändern, falls wir weniger, dafür gezieltere Erlebnisse anbieten würden?

Es hängt alles davon ab, was wir wollen. Wünschen wir uns nochmals die Superlative zurück, um die Verluste so schnell wie möglich zu kompensieren? In einem solchen Fall leben wir wieder den Trott von gestern. Einen Weg, den wir kennen. Doch muss uns klar sein, dass wir in einem solchen Fall wieder den Gewinn vor die Gäste, die Mitarbeiter*innen und die Einheimischen stellen. Dass wir einen Weg einschlagen, der dann im Jahr 2025 schwer und kostspielig zu ändern sein wird.

NEXT – QUALITÄT STATT STERNE

„Nur, die Auslastung und der Ertrag sind wichtig, keinesfalls allein die Sterne." „Sterne folgen noch der Idee der Superlative." „Viele von uns verstecken sich hinter einer Sternebewertung." „Ich würde gerne von der Sternebewertung wegkommen wollen." „Die Sternebewertung ist wenig zeitgemäß."

Die Sternekategorie wird von uns durchgehend als eine nicht mehr zeitgemäße Beurteilung unserer Betriebe angesehen. So meinen viele von uns bei den Gesprächen, dass „wir von vorgefertigten und einheitlichen Maßstäben abkommen sollten".

Gleichzeitig ist genau das noch die Strategie vieler unserer großen Regionen, auch wenn wir in den Gesprächen meinen, dass „es nicht immer Vier–Sterne– oder Fünf–Sterne–Hotels sein müssen". „Wir brauchen keinesfalls so viele hochklassige Hotels für die Gäste", doch gleichzeitig „sind wir stolz auf die sehr gute Sternedichte in der Region". Was nun?

„Das Kopieren scheint eine Krankheit im Tourismus zu sein." „Jeder geht in die Vier–Sterne– und Fünf–Sterne– Hotelkategorie rein, weil uns gesagt wurde, dass die Mittelschicht abbricht. Alle laufen wieder in die gleiche Richtung." Vielleicht war dieser Kategoriengedanke der Auslöser für die Gleichheit des Angebots im Tourismus? Vielleicht war es die Notwendigkeit, dass wir die Sterne in der Pressemappe zeigen wollten? Wir haben dazu noch keine klare Antwort. Fakt ist, wir sind alle zu einheitlich und in den Gesprächen sagen wir, dass die Sternebewertung zukünftig nicht sehr aussagekräftig sein wird.

So sehen wir, dass die treibende Kraft eine andere ist. „Die Sterne haben uns geholfen zu wachsen, nun müssen wir uns anders profilieren."

„Waren es früher noch die Vier–Sterne– und Fünf–Sterne– Hotels, die Qualität anbieten konnten, so ist dies nun von jedem möglich, wenn er möchte." „Wir leben Qualität, ich muss keine Sterne haben." „Auch Betriebe mit zwei oder drei Sternen haben ein gutes Potenzial, wenn sie auf Qualität setzen." „Wenn die Gäste wissen was sie wollen, dann suchen sie sich Hotels weniger nach Sternen, sondern nach angebotener Qualität, Erfahrungen und Erlebnissen aus."

„Nur durch eine neue Servicequalität können wir die Rentabilität garantieren." Aber was heißt Qualität? Schlussendlich reden wir davon schon seit über 10 Jahren.

Qualität sehen wir als ein gutes Zusammenspiel zwischen unseren verschiedenen Angeboten, in denen der Mensch und seine Bedürfnisse im Mittelpunkt stehen. Nur dadurch können wir eine Servicequalität garantieren. Service heißt, den Menschen zu verstehen.

Was Qualität aber keinesfalls mehr sein darf, ist, „einfach die Saunalandschaften zu kopieren, einen neuen Lift oder eine Megaattraktion auf den Berg zu stellen". Das ist alles touristische Hardware, die wir schon in Hülle und Fülle in bester Qualität anbieten. Natürlich müssen wir auch weiters die Qualität der Infrastruktur garantieren, allerdings sind wir darin heute schon Weltmeister. „Infrastruktur ist nur ein Werkzeug, das wichtig ist, aber zukünftig im Hintergrund laufen sollte."

Wir reden hier weniger von der alten hardwaregetriebenen Strategie, bei der das Zimmer über Quadratmeter definiert wird. Nein, vielmehr kommen andere Faktoren ins Spiel wie: Fühlen sich die Gäste in ihrem Zimmer wohl? Wie sicher fühlen sie sich auf der Piste? Können sie sich in der Saunalandschaft entspannen? Wie gut fühlen sich die Gäste nach dem Essen? Was strengt sie an?

Daher glauben wir, dass eine „neue Servicequalität und eine Wiederbelebung der echten Emotionalität im Tourismus" wesentlich ist für die Zukunft. Eine Emotionalität, die die Gäste nicht nur willkommen heißt, sondern ihr Wohlempfinden im Vordergrund steht. Es ist daher nicht die touristische Hardware, die den Unterschied machen wird, jedoch wie sich die Gäste fühlen.

Solch eine Veränderung benötigt Zeit und wird nicht von einem Tag auf den anderen passieren. Einer der Gründe ist, dass wir uns am internationalen Markt durch unsere exzellente Infrastruktur einen Namen gemacht haben. Dies hat nicht nur unsere Positionierung definiert, sondern auch wesentlich das Reiseverhalten der Gäste beeinflusst. Sie suchen heute nach vorgefertigten Kriterien ihre Aufenthalte aus. Auch die meisten Internetplattformen haben wenig dazu beigetragen, dass ein Umdenken weg von der Hardware hin zu neuen Erlebnissen stattfindet. So greifen die Gäste auf digitale Plattformen zurück und suchen danach: ob das Frühstück inbegriffen ist, wieviel Sterne das Hotel hat, wie groß die Saunalandschaft, wie hoch der Preis ist, oder ob die Lage den Wünschen entspricht. Erlebnisse, Erfahrungen und regionale Werte werden aber nur sehr selten als ein Suchkriterium angeboten.

So dürfen wir uns nicht wundern, dass die Gäste heute Schwierigkeiten haben, die Unterschiede in den Ferienregionen und Betrieben zu entdecken. Hier müssen wir ansetzen und praktische Lösungen zu den Fragen liefern: Welche Emotionen möchten die Gäste erleben? Welche Wünsche haben sie? Wie können wir die Besucher*innen mit den richtigen Erlebnissen verbinden? Wie können wir die Hotels und die Regionen gemeinsam verändern und die Erlebnisse in den Mittelpunkt stellen?

So kommt es, dass die Gäste sich einen Ausgleich wünschen, aber Schwierigkeiten haben, die dazugehörigen Angebote auf den Plattformen zu finden und zu buchen. So viel mehr ist möglich: Erlebnisse, authentische Werte, regionale Eigenschaften, alles mit Qualität.

Wir glauben, dass unsere Kleinstrukturiertheit, das Urige und die vielen einzigartigen Familienbetriebe einen Unterschied in der Qualität machen können. Diese Betriebe könnten mit Menschlichkeit punkten und durch neue authentische Erlebnisse die Wünsche der Gäste erfüllen, zusammen mit den Werten der Region. Gehen wir diesen Weg, brauchen wir die Sternebewertung immer weniger. Was sie ablöst, ist eine „regionale, authentische Qualität".

„Unsere Betriebe, die gute Geschichten erzählen, liefern einzigartige Emotionen." Ferienregionen, die eine lückenlose Servicekette anbieten, vom Parkplatz bis zur Eisdiele, garantieren Qualität. Diejenigen von uns, die einen neuen Führungsstil mit den Mitarbeitern*innen pflegen und die Gäste das auch spüren, vermitteln Qualität. Jene von uns, die die Gäste nicht überfordern mit zu vielen Angeboten, zu großen Betrieben, in denen sie sich verlieren, strukturieren Qualität. Die Betriebe, die steuern, dass die passenden Gäste kommen, arbeiten an ihrer Qualität. Diejenigen, die gemeinsam mit der Region daran arbeiten, dass alle Angebote eine zusammenhängende Erfahrung generieren, leben eine Qualität. Das sind all jene, die von der Gleichheit und dem Preisdruck abweichen.

Die große Mehrheit von uns sieht, dass eine „authentische Beziehung und eine gute Servicequalität unseren zukünftigen finanziellen Erfolg prägen wird". Dies ist ein Bruch mit der Sternebewertung und der Standardisierung im Tourismus.

Doch der Qualitätsgedanke wird nicht ein Ausweg für alle sein. Zu unterschiedlich sind die regionalen Qualitätsansprüche und die Investitionsmöglichkeiten. „Wenige werden die Qualität erhöhen können." „Mehrere Betriebe werden den Sprung nur schwer schaffen." Das bedeutet, dass der heutige schon existierende „Zweiklassenqualitätstourismus" noch stärker sichtbar sein wird. „Die Extreme der Qualität im Tourismus werden für alle noch sichtbarer werden."

Vor Corona sind viele der Praktiker*innen davon ausgegangen, dass es in den nächsten Jahren zu einer Verdünnung im Tourismus kommen wird. So glaubten wir an eine langsamere und kontrolliertere Veränderung einzelner Betriebe und die darauffolgende regionale Erneuerung mit Qualität.

Das war ein Irrglaube, der durch Corona bestätigt wird. Denn viele von uns Touristikern*innen werden die Krise kaum überleben. „Diejenigen von uns, die schon in die Qualität investierten, werden in einer höheren Anzahl überleben als die reinen operationalen Betriebe."

NEXT – WENIGER INFRASTRUKTUR, MEHR MENSCHEN

„Wichtig waren für uns die Betten, Gondeln und besser zu sein als der Nachbar." „Statt einer Segmentierung, basierend auf den Stärken, haben wir kopiert und unsere Burgen aufgebaut." „Wir isolierten uns in den letzten Jahren." „Ohne Zwischenmenschliches hilft die ganze Hardware wenig." „Jede 30–50 Kilometer treffen wir einen anderen Menschenschlag, aber sehr ähnliche Hardware." „Es gibt in der Beziehung der Touristiker*innen zu den Menschen einen sehr großen Nachholbedarf." „Die Hardware ist da. Die Software muss neu priorisiert werden, und zwar mit speziellem Augenmerk auf das Personal."

Jahrzehnte haben wir in die Infrastruktur investiert. Unser Ziel waren mehr Nächtigungen und mehr Umsatz. Für uns zahlte sich die Strategie aus. Wir mussten wachsen und wuchsen, um uns zu behaupten, um uns weltweit in der Spitzenklasse des Alpentourismus zu positionieren. Ein Erfolg, welchen wir heute leben. Nun haben wir dieses Ziel erreicht und die Frage stellt sich, was kommt als Nächstes? Noch mehr Infrastruktur, mehr Betten? Sehen wir Roboter an der Rezeption?

Nein, das tun wir nicht. Die Zukunft ist keinesfalls mehr „top Bergbahnen, top Schneekanonen, top Pistenkilometer, top Technologie". Vielmehr sind wir uns fast einig, dass wir die Zukunft in der Software, also den Menschen sehen. „Auch wenn die Investitionen in Hardware einfacher sind, muss es wieder mehr menscheln. Denn ohne Software hilft die ganze Hardware nichts."

„Es gab eine falsche Richtung in unserer Angebotsentwicklung." „Vielmehr werden wir in der Zukunft sehen, dass die Gäste die richtigen Erlebnisse finden und diese stressfreier genießen können." Nicht einfach alles anbieten, sondern das was die Gäste wertschätzten.

Eigentlich ist all das nichts Neues, wir sehen diese Argumente jedes Jahr in unserem Marketingmaterial. Doch wir sind kritisch und ehrlich zu uns. „Einst lebten wir die Menschlichkeit, heute haben viele von uns dies verlernt." „Die Gäste waren für uns wichtig, doch genossen wir ebenso die Hardwareschlachten mit unseren Nachbarn und den anderen Regionen." „Nun ist die Hardware da. Die Software muss neu priorisiert werden und an Bedeutung gewinnen." Das Schlagwort heißt Software, „hier sehen wir einen großen Nachholbedarf". Wir suchen die Authentizität, die Ehrlichkeit, die Genießbarkeit der Region.

Wie können wir weiterwachsen, wenn die Software nun NEXT ist? Wir sehen, dass das Menschliche und die Menschlichkeit ein großes Potenzial mit sich bringt. „Emotionalisierung, die Gefühle ansprechen, Service, Begrüßung, all das wird eine sehr große Bedeutung haben." Weniger „höher, besser, schneller" dafür mehr „näher, ehrlicher und empathischer".

In der Krise hat sich gezeigt, wie fragil wir sind. Für solche Situationen waren wir nicht vorbereitet, nicht regional noch international. Einige von uns fühlen sich während Corona verloren und im Stich gelassen. Andere haben sich zusammengeschlossen und neue regionale Projekte gemeinschaftlich umgesetzt. „Die beste Zeit meines Lebens" war zwar nur einzeln zu hören, doch zeigen solche Aussagen, wie unterschiedlich Corona im Tourismus wahrgenommen werden kann.

Dabei vertiefen diejenigen von uns, die den Menschen wertschätzen, ihre regionalen Netzwerke, entwickeln überregionale Projekte und verhalten sich respektvoll gegenüber den Mitarbeitern*innen. Diese Grundhaltung, weniger „ich" und mehr „wir", wird auch nach Corona wichtig sein. Wir stellen die Wichtigkeit des Menschen, die Gemeinschaftlichkeit und die Beziehungen wieder in den Vordergrund.

Denn bei einer neuen Krise „werden diejenigen von uns leichter überleben, die sich finanziell und menschlich vorbereitet haben".

NEXT – MENSCHENBEZOGENES WACHSTUM

„Investieren wir am Markt vorbei?" „Sind wir betriebsblind geworden?" „Wollen die Gäste in Ruhe Skifahren oder Gondeln?" „Infrastruktur ist zwar teuer, war aber die einfachste Lösung für ein Wachstum und die Pressemappe." „Auch wenn wir wollen, können wir keinesfalls so weiterwachsen." „Nicht einmal Handwerker finden wir mehr." „Hier einen beheizten Achter–Sessellift, dort eine neue Saunalandschaft. Wie einfach investieren wir doch in Hardware und wie wenig in den Menschen."

„Es waren sehr erfolgreiche Jahre im Tourismus und unsere Regionen sind unter den besten weltweit." Darauf können und dürfen wir stolz sein.

Doch müssen wir uns nun ändern, „denn wir sind alle gleich: Am Berg, im Tal und im Betrieb buhlen wir um die gleichen Gäste und haben alle sehr viele Schulden auf der Bank". „Bis auf wenige Ferienregionen machen wir alle das gleiche und das auch noch gut." Wir hatten keine Notwendigkeit anders zu sein, denn der „Massentourismus der gehobenen Klasse" stand uns gut. So machten wir weiter.

Nun ist das System ausgelastet. Fast einheitlich geht aus den Gesprächen hervor, dass Hardware und Gastfreundschaft nun Standard sind. Aber wohin geht die Reise?

An den grundlegenden Bedürfnissen im Tourismus wie: Essen, Trinken, Erholung oder sich sportlich zu betätigen werden sich wenig verändern. Was sich aber zukünftig ändern wird, ist die Art und Weise, wie die Gäste konsumieren. Wie wir neue gute Mitarbeiter*innen finden und unsere aktuellen halten können. Wie wir den Einheimischen in der Region begegnen und gemeinschaftlicher leben. Ob Gäste, Mitarbeiter*innen oder Einheimische, wir glauben, dass der Mensch wieder im Mittelpunkt stehen soll. Dass die menschliche Beziehung uns stärken und nicht schwächen wird, wir das Menscheln wiederfinden, nicht in unseren Marketingaktivitäten, sondern gelebt in der Region.

Wir glauben, dass das Menscheln, den Menschen wieder in den Mittelpunkt zu rücken, ein neuer Wachstumstreiber sein könnte.

Genau das, was wir eigentlich schon immer sagten, aber mit der Zeit verloren gegangen ist.

Das heißt, „weniger Wert auf unsere Fassade zu legen, und mehr Feingefühl für die Menschen zu entwickeln". Es bedeutet auch, auf die Leute einzugehen und auf eine gemeinschaftliche Entwicklung in der Region zu setzen. „Dass wir unseren Betrieb nicht auf Sterne ausrichten, sondern danach, wie gut wir die Menschen integrieren." Es heißt, „den Gästen spüren zu lassen, dass wir Zeit haben".

Doch „menscheln" bezieht sich nicht nur auf die Gäste, sondern auf die gesamte zwischenmenschliche Beziehung in den Ferienregionen. Ehrlich gesagt, das ist eine Herausforderung, denn „wir sind blind geworden und ein Teil von uns ist verloren gegangen". Diesen müssen wir für ein gesundes „menschenbezogenes Wachstum wieder finden". Denn ohne einer noch stärkeren zwischenmenschlichen Beziehung wird zukünftig ein erfolgreiches Wirtschaften unmöglich sein.

Nun haben wir die Möglichkeit, „den Schwung zu mehr Emotionalem und einem neuen Umgang mit dem Menschen" wieder zu beleben. „Es geht weniger darum, den Baum noch höher wachsen zu lassen, sondern den Stamm zu verbreitern, so dass er nicht schnell umfällt. Ebenso sollte unser Ziel sein, nicht mehr Früchte zu produzieren, sondern sie süßer zu machen."

Dieser Ausspruch beschreibt unseren Tourismus sehr gut. Denn er zeigt, dass wir die Vergangenheit respektieren und gleichzeitig in die Zukunft blicken können. Die vorigen Generationen legten die Wurzeln und ließen den Baum groß und schön werden. Ohne sie wären wir nicht da, wo wir heute sind. Doch von nun an liegt der Fokus woanders. Der Stamm muss dicker werden und wir sollten weniger finanzielles Risiko eingehen. Die Früchte können wir durch ein gezielteres Angebot süßer machen. Dies ist wiederum nur durch das Zusammenspiel zwischen den Gästen, den Mitarbeiter*innen und den Einheimischen möglich.

Wir glauben, dass wieder eine Zeit anbricht, in der emotionale und menschliche Werte, nicht Rekorde, wichtiger für uns werden. „Denn sobald wir emotional sind, geben wir uns dem Augenblick hin." Diesen Moment kann man nicht kaufen, sondern nur erleben. „Für die Gäste bedeutet ein genießbarer Moment, dass sie sich dem Augenblick hingeben und „erst danach auf das Bankkonto schauen, was das Erlebnis gekostet hat". Für Mitarbeiter*innen heißt Emotionalität, sie „als Menschen zu sehen, die manchmal einen guten oder schlechten Tag haben". Für die Einheimischen bedeutet es, dass wir sie nicht „mehr mit den gleichen Argumenten, wieso der Tourismus so großartig und wichtig ist" überschütten, sondern verstehen, wieso sie wütend sind. Umso mehr Emotionen wir leben und verstehen, desto ehrlicher werden wir zu uns sein.

Wir sehen, dass die ursprünglichen Werte wiederkommen, nur aktualisiert für unsere heutige Realität. Denn so sind wir heute „gleicher als früher". „Wir waren gute Hoteltester, aber weniger gute Hoteliers." Durch einen Fokus auf das Zwischenmenschliche können wir dies nun kompensieren. „Eine neue Begegnungskultur kann alles ändern und die menschlichen Werte wieder in den Mittelpunkt stellen."

Dazu brauchen wir den Mut, uns zu verändern. Courage, eine neue Sprache, eine Alternative zu den Superlativen zu finden und Authentizität neu zu bewerten. Mut, den „Lebensraum nicht nur für das Marketing zu verwenden, sondern ihn auch zu leben".

In der Vergangenheit haben wir kommuniziert wie gut unsere Infrastruktur ist. NEXT aber bedeutet wieder den Menschen, unsere regionalen Gegebenheiten, die Rituale, Mythen und Werte in den Mittelpunkt zu stellen. So wird sich in der Zukunft „die Spreu vom Weizen trennen, zwischen den Betrieben, die die Menschen wertschätzen, und jenen, die nur noch auf die alten bewährten Muster für ein Wachstum im Tourismus setzen."

„Corona ist eine Chance, eine große Chance, hier bewusster und menschlicher zu werden." Aber wenn wir ehrlich sind, dann kann sich dies schnell wieder ändern. „Denn wir müssen die Verluste schnell wieder aufholen. Sonst überleben nur wenige." So mancher von uns wird daher noch weiter auf die alten Routinen und bewährten Muster setzen. Nicht unbedingt, weil wir uns nicht verändern wollen, sondern weil eine Veränderung noch mehr Ungewissheit mit sich bringt. Ein zusätzliches Risiko, das sich einige von uns nach der Pandemie nicht leisten werden können.

Doch es gibt auch diejenigen, die den Mut und die Möglichkeit haben, sich zu verändern. Auch die von uns, die nie eine Hardwareschlacht mitgemacht haben, für jene ist Corona eine neue Möglichkeit, sich mit einem "sanfteren Tourismus" und neuen menschenbezogenen Angeboten zu positionieren.

Es scheint, Corona hat die Vorlieben der Gäste nur kurzfristig unterdrückt und in der Isolation sogar verstärkt. Die Gäste, die schon vorher die Ruhe gesucht haben, werden noch mehr Après–Ski–Lokale, Hotspots und überfüllte Plätze meiden. Diejenigen, die aktiv nach Adrenalin und Partys gesucht haben, werden diese Regionen auch weiterhin besuchen.

NEXT – DIE RICHTIGE TECHNOLOGISCHE LÖSUNG

„In vielen Vorträgen werden technologische Visionen präsentiert, die anscheinend alles auf den Kopf stellen werden. So ein Nonsens." „Die sogenannten Zukunftsforscher*innen machen uns Angst, andere lachen über sie." „Viele von den technologischen Visionen im Tourismus machen überhaupt keinen Sinn." „Die sogenannten Experten*innen haben keine Ahnung vom Tourismus." „Ganz einfach, die verstehen unsere Realität nicht." „Wieso immer mehr Technologie? Die Gäste sind gleich mal überfordert." „Ich sehe den Mehrwert von diesen Ideen nicht."

Ob Technologie, also alles was man angreifen kann, oder das Digitale, die Software, wir leben in einer Realität, wo alles möglich scheint. Daher ist es nicht verwunderlich, dass Technologen*innen und Digitalisierungsexperten*innen die Komplexität der Umsetzung in der Praxis unterschätzen. Denn deren Gedanke ist einfach: „Es ist möglich, daher lass es uns machen." Doch wir wissen, dass Technologie um der Technologie Willen weder wirtschaftlich ist noch notwendigerweise einen Mehrwert für uns oder die Gäste generiert.

Ja, die Welt wird technologischer und digitaler, aber keineswegs jede Lösung wird sich am Markt beweisen. „Auch Technologie braucht seine Zeit, um zu reifen." Viele von den vorgeschlagenen Visionen und Konzepten sterben schon während der Markteinführung oder sogar vorher. Oft fehlt den Entwicklungen der Mehrwert, das Businessmodell oder wir finden eine einfachere und billigere Lösung für das Problem.

Im Tourismus kommt noch eine weitere Komponente dazu. „Uns geht es um den Menschen, Gastfreundschaft und Empathie. Dinge, die nach unserem Wissen noch fast keine Technologie der Welt liefert." „Denn bei uns im Tourismus steht nun mal der Mensch im Mittelpunkt." „Wir leben vom Kontakt mit dem Menschen." „Viele neue Lösungen präsentieren eher eine neue Hürde als eine Lösung für die Gäste."

Doch wir wissen auch, dass wir Praktiker*innen schwer die Vorreiter*innen bei der Verwendung von neuen technologischen und digitalen Lösungen sind. Die Schuld liegt also keinesfalls nur bei den Technologen*innen und deren Visionen. „Bei vielen von uns hapert es, die neuen digitalen Technologien zu verstehen."

Wir sehen in den Interviews, dass die Digitalisierung oder die Technologie am seltensten spontan angesprochen wurde. Natürlich haben viele von uns eine digitale Strategie und sehen den Mehrwert und deren Wichtigkeit. Doch scheint es, dass das Thema kaum ohne konkretes Nachfragen bei den Gesprächen mit den Praktiker*innen aufkommt. Vielmehr kommen die

Menschen, die zwischenmenschlichen Beziehungen, die regionale Auslastung und die Erhöhung der Wertschöpfung zur Sprache.

Hier sehen wir die Herausforderung. Für uns ist Technologie oft noch viel zu abstrakt, wenig greifbar. „Für viele ist Technologie einfach nichts Greifbares wie etwa ein Sofa." Dazu kommt noch, dass wir alle jemanden kennen, dem eine technologische Lösung verkauft wurde, die niemandem nützt. Das erhöht die Barriere, sich tiefer mit dem Thema und den Möglichkeiten zu beschäftigen. So steigt aber auch die Ungewissheit, was wirklich möglich und sinnhaft ist. „Es ist so viel ungewiss. Wir wissen nicht, welche Technologie überleben wird."

Aber wie kommt das? Setzten wir auf die falschen technologischen Visionen? Wurden wir unzureichend beraten? Vertrauen wir zu viel und informieren wir uns zu wenig? Haben wir keine Zeit?

„Wir haben nie die Zeit und die Muse dazu, uns mehr mit der Technologie zu beschäftigen." Wir wissen, dass diese Aussage nur bedingt richtig ist, denn wenn wir wollen, dann finden wir auch Zeit, uns mit dem Thema zu beschäftigen. „So kommt es, dass wir im Tourismus, das Digitale verschlafen haben." Keinesfalls nur im Betrieb, aber ebenfalls als Region, Bundesland und sogar als Europa. „Wir sind stark als Marke, aber bei Technologie und Digitalisierung stehen wir hinten an." „Es scheint, wir laufen im Kreis, und das schon seit Jahren. Niemand nimmt das Thema auf, niemand hat Geld, sehr wenig geht weiter."

Man darf uns Praktikern*innen auf keinen Fall falsch verstehen. „Wir sind bereit zu experimentieren, doch die vorgeschlagenen Lösungen müssen logisch und praktisch sein. Es muss einfach zu uns passen." Schlussendlich sehen wir die „Technologie eigentlich als ein Werkzeug, das wir gerade benötigen, so wie Handwerker, die einen Umbau machen". Was wir allerdings keinesfalls wollen, sind „technologische Wanderprediger*innen, die einfach was verkaufen". Berater*innen und Technologen*innen, die wenig bereit sind, uns zu verstehen.

Denn wir haben Erfahrung und kennen unsere Besucher*innen. Wir wissen, „dass ein Schalter an der Lampe und einer am Boden schon so manche Gäste verwirren kann". „Denn wenn die Gäste müde kommen, möchten sie nicht am iPad durchklicken, um das Licht anzumachen." Sie möchten keinen unnötigen Stress oder Reizüberflutung durch Technologie haben. Alles ist neu, der Raum, die Kultur, die Menschen. „Falls wir hier überall was verändern, generieren wir nur Unzufriedenheit." Daher sollten wir die technologischen Lösungen unseren Gästen anpassen und nicht umgekehrt.

Digitale Lösungen sind aber anders als technologische Konzepte. Wo Technologie immer noch als Hardware verkauft wird, ist das Digitale, die Software, viel flexibler einsetzbar. Für digitale Lösungen sind wir definitiv viel offener und sie sind uns heute auch nicht fremd. „Sie können im Hintergrund laufen und sind einfacher in unsere tägliche Arbeit einzubinden." Booking.com oder digitales Marketing, digitale Erlebnisplattformen, Gästefeedback, all das Digitale lässt sich einfacher in die Servicekette integrieren.

Wir sehen daher, dass wir weniger eine „technologische Revolution sehen und sicher nicht Roboter an jeder Rezeption", aber doch digitale Lösungen im Tourismus, die praktisch sind.

Das Digitale ist nach Corona schwer wegzudenken und hat sich als ein Grundpfeiler in der Gesellschaft verfestigt. Ein Zurück zu der rein analogen Realität ist fast unmöglich. „Wir Praktiker*innen und das gesamte Tourismusökosystem müssen hier nun mitziehen." So waren wir vor Corona noch in der Findungsphase, wie wir mit der Digitalisierung umgehen sollen. Doch „die Krise hat uns überrollt, uns in die Zukunft katapultiert und nun müssen wir hier schnell nachziehen".

Fakt ist, wir haben einen gewaltigen Nachholbedarf. Wir sind nicht ausreichend vorbereitet für eine regionale oder gesamtheitliche digitale Lösung.

Doch nicht alle von uns vergaßen die Digitalisierung während Corona. Manche waren sogar sehr aktiv. So setzte eine große Ferienregion einen Schritt vorwärts in diese Richtung und investierte in die Digitalisierung der Erlebnisangebote aller Hotels mit dem Angebot des Start-ups Giggle.Tips. Diese Lösung verbindet die Sehnsuchtsbilder der Gäste mit den individuellen Erlebnisangeboten der Betriebe in der Region. Corona wurde so produktiv genutzt, um die Digitalisierung voranzutreiben und nach der Krise beim wirtschaftlichen Aufschwung besser zu punkten.

Priorisierten wir noch andere Themen vor der Krise und setzten hauptsächlich auf Marketing– und wenig auf die Digitalisierungsexperten*innen, so müssen wir dies gerade *jetzt überdenken. Die Investitionen, die wir für die Digitalisierung zurückhielten, sollten wir nun neu priorisieren. Die digitalen Strategien, die noch in der Ausarbeitung waren, müssen wir nun schärfen und an Corona anpassen.*

Doch wissen wir, dass nach der Krise keinesfalls nur die Digitalisierung auf dem Tisch liegt. Wir müssen sie aber im Auge behalten und nicht nur in die vergangenen Logiken investieren. Denn, falls wir nun das Thema der Digitalisierung hinten anreihen, werden wir unsere letzte Chance verschlafen. Wir werden fremdbestimmt werden. Oder anders gesagt, in diesem Falle „haben wir auch die 2. Halbzeit der Digitalisierung verloren".

NEXT – DIGITAL JA ODER NEIN

„Die Realität ist, dass wir in Tirol/Südtirol die erste und fast schon die zweite Runde der Digitalisierung verloren haben." „Wir haben die digitalen Möglichkeiten verschlafen." „Alle großen Kundenportale sind außerhalb Europas und wir werden sehr fremdbestimmt." „Es scheint, als hätten wir den Anschluss zur digitalen Realität verpasst." „Wir müssen weg vom analogen Denken, und zwar schnell." „Daten werden von uns wenig verwendet." „Die Zukunft ist datengetrieben, aber viele von uns im Tourismus wurschteln sich durch."

Wir sagen häufiger, dass die Zukunft digital und datengetrieben ist. Doch „digitale Initiativen umzusetzen und Daten zu nutzen haben wir in den letzten Jahren verschlafen". In der Praxis sind wir uns noch nicht im Klaren, wo die Möglichkeiten der

Digitalisierung liegen und was wir mit Daten überhaupt anfangen können. „So haben wir keine Lösung für uns und wir verlieren Millionen von Daten jedes Jahr." Ausnahmen unter uns existieren. Manche Praktiker*innen erfassen jede Interaktion der Gäste mit regionalen Tourismus Karten. Aber oft sammeln wir, ohne daraus eine neue Lösung zu entwickeln. Die Auswertung der Daten bleibt auf der Strecke, wie auch der praktische Mehrwert, den sie generieren könnten. Um dies besser zu verstehen, fehlen uns die Experten*innen, die hier den Durchblick haben. Auch wissen wir nicht, welche der Lösungen umsetzbar sind, oder wirtschaftlich interessant sein könnten. Daher „brauchen wir Menschen die mit Daten, neue Lösungen entwickelt können".

Einige von uns vertrauten bis jetzt den übergreifenden Strukturen und Institutionen, um uns in der Digitalisierung zu orientieren. „Doch nach Jahren des Wartens sehen wir, dass es weder eine Strategie gibt noch zu einer Umsetzung von neuen digitalen Lösungen gekommen ist." „Wir werden ungeduldig." „Nichts ist weiter gegangen in den letzten Jahren. Ganz wenig ist von Seiten des Landes, der Bundesländer oder der Regionen geschehen." „Keine Institution war im Stande, was auf die Beine zu stellen." „Wir sehen, dass wir keine Tiroler/Südtiroler Strategie leben, weniger noch eine digitale." „Auch wenn eine Strategie für den Tourismus auf dem Papier existiert, kennen tut sie niemand." Das heißt, eigentlich haben wir uns gemeinschaftlich wenig mit der Frage befasst, wie digital wir überhaupt sein wollen und können. Was heißt digital für uns? Wollen wir ein digitales Urlaubsland sein? Wie wollen wir es vermarkten?

Da die Unterstützung der touristischen Institutionen in der Digitalisierung ausblieb, ist es nicht verwunderlich, dass einige Praktiker*innen beginnen, das Digitale selbst in die Hand zu nehmen. Ein paar von uns sind dabei, ein digitales Team aufzubauen, andere machen einen ersten Schritt in Richtung Kundenbeziehungssystem (CRM), wieder andere Ferienregionen setzen auf Erlebnisplattformen. Was wir aber keinesfalls brauchen, ist eine neue Kopie von Booking.com oder ein Konkurrenzprodukt zu Google. Das wäre eine Energie- und Geldverschwendung. „Wir brauchen unsere regionale Lösung, die Sinn macht, und keine Egoentscheidungen."

Eines haben wir gemeinsam. Wenige von uns möchten weiter darauf warten, dass die Politik eine Lösung präsentiert. „Wir brauchen weniger Politiker*innen und mehr Praktiker*innen in der Digitalisierung. „Zu viele Leute reden, zu wenige wissen, wie es gemacht wird." Ansonsten kommen wir nicht mit der Umsetzung der digitalen Lösungen voran."

So liegt der Ball bei uns Praktikern*innen und einige von uns sind der Meinung, dass wir aktiv werden müssen. „Wir müssen tätig werden und weniger auf andere warten." „Die Institutionen haben zu lange Entscheidungswege und laufen konstant den Entwicklungen hinterher. Wir können schneller sein." „Digital bedeutet schnell und agil zu sein und der Tourismus sollte zukünftig so ticken."

Daher sind viele von uns der Meinung, dass wir erstens mehr in den Regionen reden müssen. Zweitens dürfen wir nicht nur miteinander reden, sondern den Worten müssen auch Taten folgen. Weiters muss die Digitalisierung gemeinschaftlich von den Praktikern*innen mitgetragen werden. „Schlussendlich brauchen wir Geld, und zwar um einiges mehr als die aktuellen existierenden Investitionen."

Einige von uns glauben, dass diese digitale Struktur von den großen Ferienregionen umgesetzt werden sollte. Das bedeutet einen Schulterschluss der Praktiker*innen mit einer klaren Vision. Die Umsetzung muss dann professionell, aber auch gemeinschaftlich erfolgen. Mut zu schwierigen Entscheidungen sollte dabei ebenso wenig fehlen, wie auch die Wirtschaftlichkeit nicht aus den Augen zu verlieren.

Doch welche technologische Strategie macht für uns im Tourismus Sinn? Wir glauben, dass wir noch stärker für einen Qualitätstourismus stehen sollten. Das heißt, unseren Service konstant mit Daten und neuen menschenzentrierten Lösungen zu verbessern. Wenn wir neue digitale Konzepte für den Tourismus aufbauen, brauchen wir daher „sensible Technologien", die den Menschen verstehen. Das heißt auch, weniger Lösungen von der Stange. Speziell bedeutet es für den Tourismus, einen Mittelweg zwischen Technologie, Digitalisierung und dem „Menscheln" zu finden.

Durch die Pandemie haben wir uns verändert, auch die Bereitschaft, Daten mit der Regierung und den Unternehmen zu teilen. Doch haben wir früher noch leichtsinniger Daten geteilt, so sind wir heute anspruchsvoller geworden, was wir im Gegenzug dafür bekommen wollen. In der Krise erwarten wir für den Austausch der Daten mehr Sicherheit, und auch zukünftig muss eine klare Gegenleistung dafür erfolgen. Nicht mehr „hier bitte, sondern, was bekomme ich dafür?"

Ein weiterer Effekt der Krise ist, dass der Alltag schneller, transparenter und flexibler geworden ist. Es gibt nicht mehr nur eine Lösung, sondern mehrere. Der Handel macht es uns vor: Verkauf via Videochat, Walkie–Talkie–Bestellung, eine bessere digitale Anpreisung der Produkte.

All das hat die Erwartungen der Gäste verändert. Die Frage stellt sich, ob wir jenen gerecht werden können, denn wer hat nach Corona Zeit und Geld, um in neue digitale Lösungen zu investieren. NEXT heißt aber, der Digitalisierung einen höheren Stellenwert beizumessen, wie auch die besten Leute, flexible Vordenker*innen und praktische Umsetzer*innen dafür zu finden.

NEXT – „MENSCHELN" IN DER DIGITALISIERUNG

„Die Gäste möchten einen digitalen Komfort und sich dabei gut fühlen." „Sie möchten weniger Stress, in ihrem Urlaub und nicht mehr Technologie." „Die Gäste möchten sich bei uns bestmöglich entspannen und die richtigen Erlebnisse finden." „Die Gäste schätzen mehr Beauty-Anwendungen. Wir könnten mittels der Digitalisierung noch besser im hauseigenen Beautycenter beraten, denn wenige Gäste wissen was sie brauchen aber dafür was sie wollen."

Heute leben wir allerdings noch zu viel Technologie und zu wenig die menschliche Interaktion. „Auch wenn die Gäste vor uns sitzen oder stehen, viele von uns bemerken sie nicht wirklich. Wir haben verlernt sie anzuschauen." So bekommt „der

Computer beim Check–in mehr Aufmerksamkeit als die Menschen", die davorstehen. Wir sehen, „dass die Kellner den Gästen fast nie in die Augen schauen, sondern nur Dinge eintippen und einfache Kunden*innenwünsche ignorieren". Dass in der Sauna eine Leinwand den Ausblick versperrt. „Wieso brauchen wie bei uns in der Panoramasauna eine Projektion über Afrika?"

Das sind alles halbdurchdachte Lösungen. Es scheint, dass wir selten die besten Entscheidungen treffen, wenn wir neue technologische Lösungen suchen. Andererseits haben wir eine Herausforderung, die neuen Lösungen in unseren Alltag und unsere eingespielten Prozesse zu integrieren. „Dazu kommt noch, dass viele digitale Lösungen und Technologien einfach zu dumm sind oder falsch umgesetzt werden."

Wenige sprechen davon, aber wir brauchen im Tourismus mehr die „Calm Technology", also die „ruhige Technologie". Bei solchen Lösungen steht weniger der Bildschirm im Vordergrund, sondern der Mensch. Wir werden nicht immer unterbrochen durch Töne oder Vibrationen, sondern nur, wenn die Nachricht in diesem Moment wichtig ist. Bei „ruhigen Technologien" sollten nämlich die Gäste so wenig wie möglich gestört werden. Und falls die Technologie gerade aussetzt, gibt es eine einfache manuelle Ersatzlösung. Denn die Technologie sollte dem Menschen dienen und keinesfalls umgekehrt. Sie sollte in den Hintergrund treten und uns so wenig wie möglich stören. Das ist wichtig, denn im Tourismus sind der Moment, das Erlebnis und die Erfahrung wichtig.

So wie wir den Menschen in den Vordergrund stellen wollen, ist unserer Meinung auch, die Servicequalität durch mehr Digitalität zu erhöhen. Jede Beziehung, digital oder physisch, hat das Potenzial, eine positive Erfahrung hervorzubringen. Wir können auch neue Interaktionen und Lösungen anbieten, also die Wertschöpfungskette nach vorne oder hinten erweitern. Das klingt nun kompliziert, heißt aber, dass digitale Lösungen uns helfen können, einen noch besseren Service zu garantieren. So wurde in einem Gespräch die Idee erwähnt, die Mitarbeiter*innen dort zu positionieren, wo sich die Gäste vermehrt aufhalten. Wie? Durch eine digitale Lösung, die anonym die Anzahl der Gäste in den einzelnen Plätzen zählt. „Ich könnte besser verstehen, wie viele Gäste auf der Sonnenterrasse sind und dann dort mehr Personal bereitstellen."

Eine andere Idee ist, den Service im Bereich Wellness zu erhöhen. Falls wir den Besuchern*innen nur ein halbwegs intelligentes Wearable (Apple Watch, Amazon Halo etc.) für seine Aktivitäten leihen, können wir, mit deren Genehmigung, die Anstrengungen und Herausforderungen von Erlebnissen, wie Wanderungen oder Bike Touren, besser verstehen. Diese Daten können wir nutzen, um den Gästen, wenn sie wieder im Haus sind, ein erholsameres Entspannungsprogramm mit den richtigen Massagen und der richtigen Ernährung anzubieten. So können wir zusammen ein besseres Tagesprogramm für einen stressfreieren und entspannteren Aufenthalt erstellen.

Weiteres ist es mit den anonymisierten Daten möglich herauszufinden, welche Aktivitäten und Plätze für die Gäste sehr anstrengend waren. Mit diesen Informationen kann die Region die Wanderwege neugestalten, weitere Raststationen mit Erfrischungen einplanen oder andere Attraktionen errichten. Wir können mit Hilfe von digitalen Lösungen zeigen, dass wir aufmerksam sind, um den bestmöglichen Service zu garantieren. Es geht hier um die Werte, Erlebnisse und Emotionen, die die Gäste suchen und bei uns finden. Digitale Lösungen sind wichtig, „damit die Gäste die Erlebnisse noch besser erleben können, sich weniger Gedanken machen müssen und die richtigen Angebote für ihren Aufenthalt finden können".

Schlussendlich können wir mit der Zeit und genügend Daten herausfinden, welche Gäste das „richtige Publikum" für die jeweilige Region und ihre Betriebe sind. So hätten wir das Potenzial, uns noch gezielter am internationalen Markt zu positionieren, und die Auslastungen der Betriebe durch eine bessere Verteilung der Gäste zu erhöhen. Wir nutzen die Digitalisierung, um uns noch schärfer zu positionieren, Angebote maßzuschneidern und Kosten zu optimieren.

Bei digitalen und technologischen Lösungen sehen wir daher, dass der Mensch in den Vordergrund treten sollte. NEXT ist daher ein klares Ja zur Digitalisierung, solange sie menschenbezogen ist. „Hier haben wir noch großes Potenzial und das Spiel ist keinesfalls verloren." „Denn die großen Plattformen können gut die Masse bedienen, aber nur schwer auf den einzelnen Menschen und dessen Emotionen und Wünsche eingehen." Dafür benötigen wir Geduld, Mut zum Experimentieren und natürlich Geld.

Oft wurde erwähnt, dass die physische Realität sich nicht mehr von der digitalen unterscheidet. Nach Corona sind wir uns dessen sicher.

Dadurch ergeben sich neue Möglichkeiten der Interaktion mit den Gästen. Einmal ein Anruf in der Wellness Oase, dann eine Buchung eines angebotenen Erlebnisses mit Bäuerin Maria über eine Internetplattform oder an der Rezeption. Ein neues „Einpendeln zwischen dem Analogen und dem Digitalen, aber ein ehrliches" ist im Gange. „Gemeinsam bauen wir neue Lösungen auf und finden zusammen heraus, welches das richtige digitale Maß für uns ist."

Die technologische Entwicklung steht nicht still und die Technologen*innen entwickeln jeden Tag neue Möglichkeiten. Umso wichtiger ist es, das Thema zu vertiefen und konstant Ausschau zu halten, welche modularen Lösungen für uns im Tourismus funktionieren könnten.

NEXT – DIGITALE ÜBERSETZER*INNEN

„Wir wissen, wie wir den Tourismus bedienen, doch Technologie durchblicken nur wenige." „Es gibt zu viele Technologen*innen, Visionäre*innen und Prediger*innen." „Für sie ist alles möglich, alles wird anders sein, und gestern schon hätten wir investieren sollen." „Viele haben aber keine Ahnung vom Tourismus." „Wir sind verunsichert, wem wir vertrauen können und in welche Technologie wir investieren sollen."

Einerseits haben wir wenig Zeit oder Muse, selbst die technologischen oder digitalen Fragen aktiv zu verstehen. Andererseits sehen wir bei unseren Nachbarn, dass manche umgesetzte Lösungen sehr wenig Mehrwert liefern. Wir meinen, dass sie falsch beraten worden sind, greifen aber selbst auf unsere bekannten Berater*innen, den Stammtisch oder die Meinungen unserer Kinder zurück, wenn wir Hilfe mit der Digitalisierung benötigen.

Doch einige von uns glauben, dass neue Herausforderungen auch einen neuen Menschenschlag mit unterschiedlichen Erfahrungen benötigen. Denn „wenige der Berater*innen kennen sich mit Technologien und der Digitalisierung aus". Zu oft werden „fertige technologische Lösungen verkauft und nicht beraten. Lösungen, die im Nachhinein gesehen keinen Mehrwert liefern". „Was haben die Tourismusberater*innen denn gelernt? Sie laufen irgendwo hin und verkaufen was sie verkaufen können, was sie gelernt haben, wo sie sich sicher fühlen." Ob diese Lösungen die besten für uns sind, sei nun dahingestellt. „Wir sind verunsichert und vertrauen zu oft den schwachen Beratern*innen." Oder „wir wählen den Weg und gehen mit unseren Kindern in das digitale Marketing".

So sollten wir uns fragen, ob das für uns ausreicht, ob die Berater*innen, die schon lange am Markt sind, die richtigen sind, ob unser aktuelles Netzwerk uns bei den neuen Herausforderungen weiterhelfen kann.

Viele von uns sind der Meinung, dass „wir andere Leute brauchen, die das Digitale mit der Praxis verbinden können". So würde ich sagen, wir brauchen Übersetzer*innen. „Ganz einfach

Menschen, die uns helfen, die richtige Technologie zu finden",
sie anzupassen und anzuwenden. „Leute, die uns inspirieren,
aber uns nicht gleich was verkaufen wollen", Menschen, die uns
verstehen. Übersetzer*innen, die gemeinsam herausfinden,
welche Technologie und digitalen Lösungen zu uns und
unserem Betrieb passen. Wichtig dabei ist, „dass alles
pragmatisch ist".

Wo finden wir solche Leute? Nicht bei den Technologen*innen
und kaum bei uns Touristikern*innen. „Wir sind im Alltag des
Tourismus gefangen." Wir suchen vielmehr Personen mit
Welterfahrung, die eventuell schon in verschiedensten
Industrien gearbeitet haben. Professionelle, die die Ferienregion
und den Menschen in den Vordergrund stellen und uns mit der
technologischen Zukunft verbinden.

Denn ohne die Übersetzer*innen „werden wir einfach wie immer
weitermachen: Viel Geld für Webseiten und Apps verblasen", die
zu wenig Mehrwert bringen. Daher brauchen wir alle am Tisch.
Jung und Alt, Technologen*innen, digitale Experten*innen und
Touristiker*innen. Und ganz wichtig die Person dazwischen, die
uns alles übersetzt und aufbereitet.

*Ohne der Digitalisierung der letzten Jahre wäre die Krise noch
viel extremer ausgefallen. So dürfen wir uns nicht wundern,
dass der Höhenflug von Digital anhalten wird.
Technologen*innen werden noch mehr versuchen, neue
Visionen zu verkaufen und die Digitalisierung, als die Lösung
für alle Probleme im Tourismus anzubieten. Aber nicht nur sie.
Medien, Institutionen und Berater*innen werden vermehrt
davon sprechen, wie wichtig Technologie und Digitalisierung*

sind. Schlagwörter wie Künstliche Intelligenz (KI), Plattformen, Datenstrukturen, digitales Zahlen wird noch öfter zu hören sein als zuvor. „Viele die keine Ahnung haben werden reden und versuchen mitzureden. Digitale Ideen werden kopiert werden und die, die viel reden oft auch ohne Tiefenwissen belohnt werden.“

All das müssen wir als Touristiker*innen kritisch hinterfragen, denn wir dürfen nicht wieder in die Falle des Selbstmarketings tappen. Wir brauchen die Übersetzer*innen die nicht nur reden, sondern uns auch bei der Umsetzung helfen.

NEXT – NACHHALTIGKEIT

„Wir und die Gäste dürfen nicht mehr dumm vor uns hin konsumieren.“ „Unsere Dienstleistungen müssen nachhaltiger werden. Speziell unsere Logistik muss sich verändern.“ „Nachhaltigkeit scheint in aller Munde zu sein, doch was bedeutet dieses Wort außer Investitionen?“ „Die Nachhaltigkeit gibt es nicht.“ „Wenigstens klimaneutral können wir sein.“ „Die Branche muss einen halben Schritt zurückmachen und fragen, wie wir alle sanfter zusammenarbeiten können, speziell mit der Umwelt.“ „Wir müssen uns mehr mit der Umwelt verbinden.“ „Umwelt und Gesundheit sind die Themen der Zukunft.“ „Umweltbewusst sein heißt, kein Plastik, keine Abgase, saubere Energie.“ „Wir leben in einem Lebensraum und sind keinesfalls nur eine Geldmaschine.“ „Nachhaltig sein heißt, die Schönheit unseres Landes zu bewahren.“

Es kommen sehr viele Themen auf, wenn wir über Nachhaltigkeit reden. Sollen wir die Natur mehr schützen? Die Nachfolge in den Betrieben garantieren? Suchen wir eine weitere Effizienzsteigerung bei den eingesetzten Ressourcen? Wollen wir die Verwendung von regionalen Lebensmittel in den Betrieben weiter hervorheben? Suchen wir nach einem neuen demokratischen Modell für die Mitarbeiter*innen? Müssen wir einen flächendeckenden Tourismus im Bundesland garantieren? Wollen wir einen nachhaltigen Sommertourismus entwickeln? Wollen wir weniger Verkehr?

Nachhaltigkeit scheint für uns eine Möglichkeit für die Zukunft zu sein, aber hauptsächlich ist sie eine Mischung aus Hoffnung und sozialem Druck.

Ein Wunschbild ist, „dass wir durch mehr Nachhaltigkeit die Wertschöpfung erhöhen können und dass die Gäste dafür mehr zahlen". Andere wünschen sich, dass „die Nachhaltigkeit uns eine Entschleunigung und die richtigen Gäste in die Ferienregion bringen kann." Wieder andere hoffen, „dass unsere Enkel noch in 100 Jahren in der Region leben können".

Eigentlich wünschen wir uns alles. Doch oft enden die Diskussionen in einem Wunschgedanken ähnlich wie: „Wir wollen einen hoch qualitativen Tourismus, der wenig kostet und sehr einfach umzusetzen ist."

Doch diese Hoffnung trifft auf sozialen Druck und die Komplexität der Umsetzung von gesellschaftlichen Themen. Denn sie wechseln sich immer wieder ab. Einmal priorisieren wir die Tourismusgesinnung, dann wieder Bio–Nahrungsmittel oder regionale Kost, #MeToo, Mitarbeitermangel, die Nachhaltigkeit oder die Wirtschaftlichkeit.

Es scheint, wir verlieren uns auf dem Weg der Nachhaltigkeit und müssen zu oft zwischen den einzelnen Priorisierungen wechseln. Auch verstehen viele von uns das Konzept unterschiedlich oder unterliegen dem medialen und gesellschaftlichen Druck. All das erzeugt ein verzerrtes Bild: Der Tourismus hat sich in dem Thema der Nachhaltigkeit noch nicht gefunden.

Mit so einer Komplexität stellt sich die Frage: Was ist Nachhaltigkeit?

Einige von uns Praktikern*innen sind der Meinung, dass „es Nachhaltigkeit eigentlich gar nicht gibt" und dass wir nur Impulse in die Richtung einer nachhaltigen Entwicklung setzen können. „Eine Inspiration, die wir uns und den Gästen mitgeben können, um die Nachhaltigkeitsdebatte anzukurbeln." „Eine Möglichkeit zu experimentieren und unsere Position zu dem Thema zu finden." „Es gibt nur eine nachhaltige Bewegung, eine Entwicklung. Die Nachhaltigkeit ist kein fixer Zustand, sondern ein fortlaufender Prozess."

Mutige Aussagen. Nachhaltig sein ist daher, eine Bewegung und die aktuelle Nachhaltigkeit eine Momentaufnahme. Der Moment beschreibt ein Streben hin zu einem Gleichgewicht von ökonomisch, ökologisch oder gesellschaftlich Themen, die sich immer wieder in der Umsetzung abwechseln. „Niemand von uns kann alles auf einmal stemmen."

Schlussendlich kommen wir aber wieder auf Angebot und Nachfrage zurück. Die Gäste orientieren sich daran, was angeboten wird, und „die meisten von uns brauchen Druck oder eine externe Motivation, damit wir ein neues Angebot schaffen." Denn die Nachhaltigkeit kann sich nur entwickeln, wenn Geld fließt. „Jede soziale Veränderung war nur durch Geld möglich." Wenig verwunderlich ist, dass bei den meisten Gesprächen eine bestimmte Reihenfolge der Nachhaltigkeit erwähnt wird. Erst kommt die Wirtschaftlichkeit, dann die Umwelt.

Geld war unsere treibende Kraft in den letzten Jahren. „Unser Ziel in der letzten Zeit war das Wachstum." „Wir haben uns wirtschaftlich gut verändert, aber umwelttechnisch schlecht." Nachhaltigkeit war daher sehr limitiert. Wir stellten die Gäste über unsere Familie und die Mitarbeiter*innen. Wir priorisierten das Wachstum über die notwendigen finanziellen und ökonomischen Ressourcen. Wir bevorzugten Wachstum ohne Rücksicht auf die Umwelt, die Region und die Tourismusgesinnung. Eigentlich waren wir in unseren Regionen nur sehr bedingt nachhaltig. „Hier sind wir bewusst auf einem Auge blind gewesen, eigentlich waren wir schon die letzten 10 Jahre blind." Doch da stellt sich die Frage: „Wenn es mir gut geht, wieso muss ich dann noch wachsen?" „Betriebswirtschaftlich ist es nicht notwendig mehr als die Inflation zu wachsen, wenn ich genug Geld zum Leben habe." Ist nun der Moment, für ein besseres authentischeres Gleichgewicht im Tourismus?

Wir sehen die Wichtigkeit, doch es scheint, als hätten wir wenig Zeit für das Thema. Die Jungen dagegen sind von diesem Thema begeistert. „Diese Themen kommen viel natürlicher bei der jungen Generation auf." Wir glauben auch, dass die Nachhaltigkeit von den Jungen kommen sollte. Natürlich kann die neue Generation die Altlast schwer allein stemmen und die Diskussion soll nicht in Schuldzuweisungen enden.

Doch gestern ist schon vorbei und wenn wir nach vorne schauen, sitzt die neue Generation schon am Steuer.

Nun wollten wir mehr die Umwelt–Perspektive in unsere Dienstleistungen integrieren. Greta Thunbergs verkündete Umweltkrise half uns hier, das Thema der ökologischen Nachhaltigkeit wieder in den Mittelpunkt zu rücken. Dann kam Corona. Mit der Krise wurde die wirtschaftliche Komponente des Tourismus wieder von uns Praktikern*innen priorisiert.

Doch wie sollen wir die ökologische Nachhaltigkeit priorisieren, in einer Welt in der Krisen zur neuen Normalität gehören? „Brauchen wir die Dominanz der Politik mit ihren Verboten, um diese durchzusetzen?"

Wir sind uns nicht einig, ob das der richtige Weg ist. Vielen von uns sträuben sich alle Nackenhaare bei diesem Gedanken, „denn wir wollen keinesfalls fremdbestimmt werden". „Doch falls der Staat nicht eingreift, aus welchen anderen Gründen würden wir uns dann ändern?" Weil die Gäste aktiv nach neuen Nachhaltigkeitslösungen suchen? Medialer Druck? Eine Vorreiterrolle, weil uns das Thema wichtig ist?

Vielleicht starten einige von uns eine nachhaltigere Entwicklung aus eigenem Interesse, aber „wir glauben, dass die meisten hier nur durch einen neuen Wachstumsgedanken motiviert werden können". Können wir die Nachhaltigkeit, die

Regionalität anders verkaufen? Können wir „den Gästen ihre Angst, vor der Scham bei uns zu konsumieren, nehmen?"

Auch kann bei einer nachhaltigen Entwicklung die Ferienregion profitieren. „Die Natur wird geschützt und den Einheimischen ihr Lebensbereich für die nächsten 100 Jahre erlebbar erhalten." „Wie wäre es, wenn die Regionen die Nachhaltigkeit als ein Unterscheidungsmerkmal für die Positionierung verwenden würden?" „Hier kann unser Bewusstsein zurechtgerückt werden." Denn nach dieser Krise dürfen wir „nicht so weitermachen wie in den letzten Jahren". Der Wiederaufbau kann anders werden. Sehr selten existiert dieser Bruch, der komplette Stillstand und die Verwendung des Wortes „Wiederaufbau".

Hier liegt das Potenzial, die Nachhaltigkeit neu zu sehen und Lösungen zu implementieren. Das ist speziell dann der Fall, wenn neues frisches Geld in den Tourismus fließen wird. Denn wir wissen, dass reale „soziale Veränderungen nicht stattfanden, weil sie gerade zu dem Zeitpunkt notwendig waren, sondern weil in sie investiert wurden". So sind wir der Meinung, dass nach Corona neue Fördergelder in den Tourismus fließen werden. „Diese Gelder werden uns Touristiker*innen zur Umsetzung von noch mehr Nachhaltigkeitskonzepten motivieren."

NEXT – WENIGER TOURISMUS UND MEHR LEBENSRAUM

„Massentourismus ohne Grenzen erlaubt uns keinen Lebensraum." „Wir brauchen die Landwirtschaft für unseren Lebensraum." „Wir müssen die Kommunen mit den Tourismusverbänden verschmelzen." „Es braucht lokale und lebendige Lebensräume." „Lebensraum ist ein Lebensgefühl mit einer richtigen Wertigkeit." „Wo ist der digitale Lebensraum? Mit der Technologie können wir viel besser organisieren und verwalten." „Es ist die Verantwortung der Tourismusverbände, einen Lebensraum zu schaffen."

Wir brauchen eine Lösung im Tourismus, die in den nächsten Jahren nicht in Schall und Rauch aufgeht. Zurzeit ecken wir an vielen Dingen an und unser Image ist angekratzt. Das Wort Tourismus wirkt medial verbraucht und wurde von uns durch die Superlative und das Wachstum in das falsche Licht gerückt.

Betriebe wurden zu groß und so werden die Regionen und Hotels zu kleinen modernen Siedlungen. „Man kann fast schon sagen, die Gäste flüchten aus den Städten in Städte." Sie übernehmen so unsere Superlative und möchten größer, schneller und einfach mehr. Die Bevölkerung auf der anderen Seite distanziert sich gleichzeitig vom industriellen Tourismus, wird kritischer, negativer.

„So wurde das Wort Lebensraum eingeführt, um den Tourismus positiver darstellen zu lassen." Einige von uns erhoffen sich, „dass wir durch eine stärkere Gemeinschaftlichkeit neue Lebensräume in den Regionen schaffen. Damit möchten wir die

Bevölkerung wieder für den Tourismus begeistern und diese Begeisterung nutzen, um bei Fragen der regionalen Entwicklung in die gleiche Richtung zu ziehen". „Einen Lebensraum, indem alle Akteure der Ferienregion leben können, ohne sich absichtlich gegenseitig auf die Füße zu steigen." „Eine neue Gemeinsamkeit leben, um die Rebellion der Einheimischen zu stoppen."

Starke Aussagen sehen wir und viel Hoffnung. Doch die Einführung eines neuen Wortes allein wird das Problem schwer lösen. „Die Einheimischen sind nicht dumm."

Doch haben wir Hoffnung, dass der alte Tourismusgedanke dem neuen Begriff Lebensraum in der Kommunikation weichen wird. „Der Mensch neigt dazu, den bequemen Weg zu gehen, um sich besser zu verkaufen." Doch „nur, weil wir uns anders nennen, bekommen wir nicht mehr Investitionen, hören den Einheimischen nicht besser zu oder schütteln uns alle freudig die Hände".

Das Konzept eines Lebensraums hat viel Potenzial und eine Umsetzung würde uns im Tourismus guttun. Dieser gemeinschaftliche Gedanke könnte unsere Regionen wieder enger zusammenbringen und neue positive Diskussionen mit allen Teilnehmern in den Regionen mit sich bringen. Diskussionen über einen besseren Einklang mit der Natur. Eine Belebung des wirtschaftlichen Lebensraums in den Ferienregionen. Ein stärkeres Bewusstsein und Respekt gegenüber der Landwirtschaft und Landschaftspflege.

Doch Lebensraum heißt noch mehr. Wir müssen auch, die nagenden Probleme, wie den zu teuren Wohnungsmarkt und leistbares Freizeitprogramm, für die Einheimischen angehen. Nicht zu vergessen ist, dass wir auch das Digitale mit hineinnehmen. Denn der „digitale Lebensraum" ist nach Corona ein Teil von uns. „Wenn diese schon vom Lebensraum reden, dann sollten wir auch vom digitalen Lebensraum sprechen. Der gehört auf die Agenda, so wie die Wirtschaft."

Schlussendlich bedeutet Lebensraum, dass wir mehr Tradition, Sitten, Werte und Kultur der Region leben. Lebensraum ist aber vor allem eine „Erinnerung, sich wieder zusammenzubringen und über die eigene Grundstücksgrenze hinaus zu schauen. Denn die Region ist nur so stark wie wir alle zusammen."

Also den Ursprungsgedanken der Ferienregionen wiederbeleben und zu leben. „Wie gesagt, es klingt noch vage, zu schön, um wahr zu sein und sehr idyllisch."

Vielleicht sollten wir klein anfangen, aber mit einer grundlegenden Herausforderung; mit einer offenen Begegnungskultur. „Die Leute werden selten auf Augenhöhe getroffen, das müssen wir ändern." „Wir müssen uns wieder begeistern und offen zuhören. Dann ziehen wir alle in die gleiche Richtung."

Das ist viel harte Arbeit. Denn wir haben uns von vielen Partnern in den Regionen und auch den Einheimischen entfernt. „Tourismus ist ein Business und es geht heute wenig um den Menschen." Dazu kommt, dass „die Einheimischen aktuell keineswegs positiv gegenüber dem Tourismus eingestellt sind".

„Sie spüren, dass ihre Bewegungsfreiheit eingeschränkt ist, sie ihre Region nicht mehr benützen können oder zurückweichen müssen." Das alles schürt die Emotionen und lässt die Menschen aggressiver werden und die Leute lassen ihrer Unzufriedenheit freien Lauf. „So gibt es heute nicht das Zuhören auf Augenhöhe, sondern oft Streitgespräche." „Das ist ärgerlich und anstrengend für uns." Doch einen Lebensraum zu schaffen heißt, der Unzufriedenheit freien Lauf zu lassen und die Probleme zu beseitigen die sie verursachen, oder wenigstens ehrlich darüber zu reden.

Daher sollte der Lebensraum mehr sein als einen Monolog zu führen oder immer die gleichen Argumente wiederzugeben. „Wir haben keinesfalls mehr Recht als die Bevölkerung." „Gemeinsam gehen wir vorwärts, allein rückwärts." „Ganz einfach: die Menschen im Fokus und weniger unser Ego." Daher sehen wir, dass wir als ersten Schritt eine offene Begegnungskultur in der Region schaffen müssen. Dann erst können wir über den Lebensraum sprechen.

Positiv oder nicht, Corona hat uns die Regionalität wiedergebracht. Die Einheimischen bleiben wieder mehr in ihrer Region und zwingt uns Praktiker*innen, uns noch mehr mit ihnen zu beschäftigen. Die Frage, ob wir die Skigebiete für die lokale Bevölkerung aufsperren werden, wenn keine Touristen*innen kommen, war eine der kritischsten Entscheidungen in dieser Krise für uns Touristiker*innen. „Denn die Einheimischen hätten uns eine andere Entscheidung nie verziehen." Corona hat uns auf die Probe gestellt, welche Entscheidung wir treffen. Es scheint, wir haben die richtige getroffen, wenn auch eine finanziell desaströse. „Denn wären die Skigebiete dicht geblieben, dann bräuchten wir gar nie mehr von einer Gesinnung oder einen Lebensraum sprechen."

Diese schwierige Entscheidung ist nur eine von noch vielen, die wir treffen werden müssen, um das Gemeinschaftliche wiederzufinden. Entscheidungen, die den Weg ebnen werden, ob wir nach der Krise einen rein wirtschaftlichen Überlebensraum oder einen Lebensraum suchen. Die Antwort sollte nie folgende Aussage sein: „Overtourismus ist besser als kein Tourismus." Beides sind Extreme und durch solche Polarisierungen schaffen wir nur eine Polemik und keine Gemeinschaftlichkeit.

Der Lebensraum kann jedoch nicht in einer solchen Polemik existieren. Falls wir an die neue Gemeinschaftlichkeit glauben, dann sollten wir uns in der Mitte treffen.

NEXT – HERAUSFORDERUNG TOURISMUSGESINNUNG

„Früher war die Tourismusgesinnung kein Problem." „Heute stellt sie für den Tourismus eine Belastung dar." „Die Gäste und die Einheimischen müssen verschmelzen." „Noch bis vor zwei Jahren haben wir nur nach außen kommuniziert und Werbung für mehr Gäste gemacht. Den Einheimischen hatten wir vergessen." „Wir sind wieder am Anfang in unserer Rückbesinnung zu den Wurzeln der Region." „Ich glaube nicht, dass wir wirklich motiviert sind uns zu verändern." „Die Gesellschaft von heute trägt einfach unsere Argumentation schwer mit." „Es scheint, als verständen uns die Einheimischen nicht mehr."

Wir sehen die Gesinnung als eines der wichtigsten Themen bei unseren Gesprächen an, aber auch eines der härtesten. Mit der Zeit haben wir uns ein Image aufgebaut, das zum Problem für uns wurde. Wir reagierten zu spät und so entwickelte sich die Gesellschaft in die eine und der Tourismus in die andere Richtung. Die Einheimischen sind unabhängiger und wohlhabender geworden und sagen was ihnen nicht passt. So dürfen wir keineswegs verwundert sein, dass wir heute sehr oft eine Konfliktkultur mit den Bewohnern*innen der Regionen leben.

Doch fing alles so gut an. „In den 60er–Jahren war alles kein Problem. Die Leute freuten sich über den Tourismus und wir hatten viel Kontakt mit der Bevölkerung." Wir waren aktiv mit der Gesellschaft eingebunden, doch leben wir heute eine andere Realität. In der Skalierung der letzten Jahrzehnte haben wir uns von der Bevölkerung distanziert, denn wir priorisierten das Wachstum. „Das Wachstum war nur dadurch möglich, weil wir auf uns schauten." „Wir bedienten immer mehr Leute, eine Masse, die für uns anonym ist."

Wir wurden erfolgreich und gleichzeitig distanzierten wir uns von den Gästen, den Einheimischen und oft von Teilen unserer Familie. „Doch so schlecht es klingt, viele von uns haben das Leben genossen und viele Vorteile daraus gezogen."

Nun sind wir aufgewacht. Ehrlich gesagt erst dadurch, dass sich die Bevölkerung gegen die Olympischen Spiele aussprach. „Tirol möchte kein derartiges Megaevent mehr. Das war ein Schock für uns." „Die Inntalfurche war schuld." „Die Einheimischen danken uns nicht." „Sie verstehen uns nicht mehr." „Dass die Olympischen Spiele nicht bei uns stattfinden war ein tiefer Schlag."

Es wurde uns bewusst, dass wir sehr viel falsch eingeschätzt hatten. Die Bevölkerung empfängt uns keineswegs mehr mit offenen Armen, sondern wir erleben eine starke Gegenbewegung. „Eine Konfrontation, die sehr belastend für einige Regionen ist."

„Wieso soll ich mich als Einheimischer hinten anstellen?" „Wieso muss ich mein Leben wegen der Touristen*innen umstellen und meine täglichen Rituale ändern?" Die Einheimischen akzeptieren immer weniger, Gäste der zweiten Klasse in der eigenen Ferienregion zu sein. Langsam entstand eine Gegenbewegung. Heute verweisen wir auf sie als eine negative Tourismusgesinnung. Eigentlich ist diese Aussage irreführend, denn die Diskussion sollte sich darauf richten, wieso die Bevölkerung weniger wertgeschätzt wurde. Schlussendlich hat die regionale Bevölkerung in harter Arbeit die Region aufgebaut. „Leben nicht die Einheimischen die Region, die Werte und Bräuche und machten sie sie nicht dazu, was sie heute ist?"

Dies sind alles starke emotionale Meinungen, die wir schon in den letzten Jahren wahrgenommen haben. Trotzdem hörten wir zu wenig zu. Wir glaubten, nein, hofften, dass sich die Wogen wie früher wieder von allein glätten würden. „In der Krise werden die Einheimischen sehen, dass sie uns doch noch benötigen."

Wir sollten aufrichtig zu uns selbst sein. Anzunehmen, dass die Bevölkerung keine Ahnung hat, wie wichtig der Tourismus für Tirol ist, ist einfach falsch. Zu glauben, dass die Einheimischen uns danken müssen, ist auch nicht der richtige Ansatz. Anzunehmen, dass wir mehr Marketing machen müssen, dass das Verständnis entsteht, wie gut oder besorgt wir sind, eine alte Rezeptur und wenig glaubwürdig.

Heute leben wir eine andere Realität, an die wir uns anpassen sollten. „Wir müssen unsere Präpotenz überdenken." „Nicht erst machen und dann fragen, sollte auf unserer Tagesordnung stehen." Ebenso „brauchen wir mehr Selbstvertrauen und weniger Suche nach konstanter externer Wertschätzung". Schlussendlich „sollten wir uns öfter vom Rampenlicht verabschieden und weniger versuchen, im Mittelpunkt zu stehen". „Eine gewisse Demut, Sorgfalt und Ehrlichkeit müssen her."

Die Bevölkerung ist überfordert durch die konstanten Rekorde und Superlative. Durch unser jährliches Gejammer, welches dann in einem neuen Höchstwert an Übernachtungen endet. „Wir als Touristiker*innen haben hier einfach übertrieben." Das Schlimmste dabei ist, wir haben diese Entwicklung gar nicht bemerkt oder besser gesagt, zu wenig ernst genommen.

„Einige Millionen an Investitionen hier und dort. Dicke Autos, immer mehr Luxus–Hotels. Wir haben mehr gezeigt, mehr investiert und gefeiert als andere Industrien. Denn unser Image war uns wichtig." Natürlich kommt das von unserer täglichen harten Arbeit und auch wir müssen den Alltag ausgleichen. Doch, falls wir eine Tourismusgesinnung anstreben, geht das nur, wenn wir unser Image verändern.

Denn „wie wir waren und wie wir gesehen werden wollten", all das steht im Konflikt mit der Lebensweise der Bürger*innen.

Diese verstehen unserer Realität manchmal schwer und finden sich in ihrer eigenen Heimat nicht mehr wieder. „Sie können sich keine Wohnung mehr leisten, geschweige denn einen Urlaub im eigenen Land." Dazu kommt noch mehr Verkehr, die Angst vor der Wasserknappheit, hohe Preise, die Schließung kleiner Lifte und Skigebiete und das Gefühl, dass der Tourismus den Einheimischen alles wegnimmt. Ein Business, das den Bürgern*innen die Freiheit nimmt. Die Wahrnehmung heute ist weniger „du kannst dort wohnen, wo der andere Urlaub macht, sondern: du bist schon ziemlich blöd, hier zu wohnen".

Diese „gefühlte Realität" muss schnellstens diskutiert und Probleme gelöst werden. Ansonsten ist die Basis für einen gemeinsamen Tourismus in den Regionen schwer vorstellbar.

„So schnell fallen wir wieder zurück in den Alltag." Corona hat uns ein weiteres Problem für die Gesinnung auferlegt. Denn der Sommer war überlaufen in den wenigen Hotspots. Die Einheimischen fühlten sich nicht wohl, so mancher Tourist beschwerte sich, wollte Exklusivität. „Dahoam ist es am schönsten" klingt gut, aber wo ist dahoam, wenn die Plätze überlaufen sind? Natürlich werden wir mehr investieren und uns noch besser für die nächsten Sommer aufstellen, doch wir merken, dass der „Platz doch nicht so groß ist, wie es scheint" für die Wünsche der Gäste und jene der Einheimischen.

NEXT – TOURISMUSGESINNUNG MIT DIALOG

„Wir müssen verstärkt in den Dialog gehen." „Das Zwischenmenschliche, der Dialog mit den Einheimischen ist schon verloren gegangen." „Wir haben keine Dialogkultur, denn wir leben in veralteten Strukturen." „Wir brauchen nicht neue Köpfe in alten Strukturen, das hilft wenig." „Wo ist unsere Begegnungskultur geblieben?"

Die Bevölkerung wird aggressiver und viele aufgestaute Emotionen existieren. Als Konsequenz verhärten sich die Fronten zwischen den Einheimischen auf der einen Seite und wir im Tourismus auf der anderen Seite. In solch einem Zustand helfen keine Informationen oder Kampagnen mehr. So wollen wir die Einheimischen nur mit unseren Argumenten überzeugen. Das muss geändert werden, denn um ein solches Dilemma zu lösen, müssen sich beide Seiten besser verstehen. „Hier haben wir noch einen weiten Weg zu gehen, denn wir argumentieren noch viel zu viel."

Viele von uns Touristikern*innen meinen in den Gesprächen, „dass die Einheimischen uns doch verstehen sollten". Dass sie verstehen sollen, dass wir konstant Geld investieren und die Region ohne uns so nicht existieren würde. Wir argumentieren, dass sie ihre Freizeit lediglich durch unsere Anstrengungen erstklassig genießen können. Denn nur wir haben eine solche Infrastruktur.

Jedoch wissen die Einheimischen sehr wohl, was der Tourismus bringt. Sie sagen uns sogar, was wir tun sollen, um ihn zu verbessern. Doch hören wir leider viel zu wenig aktiv zu.

Es scheint, wir haben ein verzerrtes Verständnis, was die Bevölkerung wirklich möchte, wieso sie so aggressiv eingestellt ist. Um diesen Konflikt zu lösen ist der erste Schritt, die Missverständnisse geradezurücken. Nicht mit Umfragen, sondern durch einen Dialog. Nicht mehr Marketing, sondern mehr Dialog. Nicht mehr Flyers oder E–Mails, sondern mehr Dialog. Ansonsten geht die Gesinnung weiter bergab. „Dann hört die Bevölkerung uns gar nicht mehr zu."

Einige von uns sehen einen Ausweg in einer neuen Begegnungskultur. Der erste Schritt dahin ist, den Einheimischen aktiv zuzuhören. Weniger „ich höre zu, aber argumentiere gleich", sondern „lass es uns gemeinsam anders probieren". Nicht „erst machen, dann fragen", sondern „die Bevölkerung, die Region vorher ins Boot holen". Denn auf Augenhöhe mit der Bevölkerung zu sein, eine Begegnungskultur mit ihnen zu etablieren und die Tourismusgesinnung positiv zu beeinflussen, bedeutet aufrichtig zu uns und den anderen zu sein. Wir müssen unsere Schwachstellen akzeptieren und bereit sein, mit den Einheimischen für eine Veränderung in den Dialog zu gehen.

„Zurzeit finden schon vereinzelt Gespräche mit den Bewohnern*innen der Regionen statt. Doch wissen wir, dass sie oft weder konstruktiv noch freundlich sind. „Die Emotionen wurden einfach sehr lange unterdrückt und von uns ignoriert." Zu lange wollten wir nichts wissen, was die Leute von uns denken. Vielmehr „forderten wir die blinde Akzeptanz von der Bevölkerung in viel zu vielen Themen ein".

Die Antwort heißt keinesfalls weniger, sondern noch mehr Gespräche mit der lokalen Bevölkerung. Wir müssen die emotionalen Gründe verstehen, wieso sich die Einheimischen so fühlen und uns den klaren und lauten Stimmen stellen. Wir sind an einem Punkt angekommen, wo der Affekt das Gespräch führt. Einen Moment, wo jede Person im Raum eine Geschichte erzählen kann, wie der Tourismus ihr schadet. Daher müssen wir den Dialog auf der Basis von Werten starten. „Werte, die die Region ausmachen, die Menschen, die sie aufgebaut haben." Schlussendlich wollen wir alle etwas Ähnliches.

Die Gäste möchten die Ferienregion und ihre Menschen, die Kultur und die Werte kennenlernen. Die Bevölkerung diese nicht verlieren. Die Gäste möchten nicht ignoriert werden, aber auch nicht die Einheimischen. Die Besucher*innen möchten gemütlich die Region genießen, die Bevölkerung aber auch. Die Gäste möchten keine Superlative und Wachstum an erster Stelle. Auch die Einheimischen möchten lieber Lebensqualität statt Wachstum.

In den Diskussionen über die Tourismusgesinnung geht es um „die Angst, die Werte zu verlieren, mit denen viele von uns groß geworden sind". Um ein „Gefühl, dass die Region nicht mehr meine ist, sondern die der Gäste". NEXT steht daher, für die Wiederentdeckung der gemeinschaftlichen Werte, das Setzen von neuen Aktionen für die regionale wirtschaftliche Entwicklung und „für ein Verschmelzen der Bedürfnisse der Gäste und jenen der Einheimischen".

Falls wir wirklich eine positivere Gesinnung anstreben, dann „geht es nicht darum, der Bevölkerung einfach noch mehr

Informationen zu schicken". Leute müssen eingebunden werden, zusammen die „Schrauben" anziehen und sehen, dass sie mitgeholfen haben, die Region zu verändern. „Das ist eine große Baustelle für uns."

Dank Corona haben wir alle was zu erzählen und wünschen uns einen Dialog. Wir sind offen für einen Austausch über die verschiedensten Themen. Die Krise bildet eine gemeinsame Herausforderung, die uns alle gesellschaftlich betrifft und niemand kann ihr und ihren Auswirkungen entkommen. Wieso verwenden wir nicht dieses Thema als Ausgangspunkt für den Dialog? Es scheint, als hätten wir gerade die einzigartige Möglichkeit, die Diskussionen über den Lebensraum neu zu starten.

NEXT – REGIONALE RÜCKBESINNUNG

„Wie fügt man die Gäste in die Ferienregion ein, ohne die Regionalität zu verlieren?" „Ohne Regionalität gibt es kein neues Wachstum." „Die Gäste sind dazu bereit, für die Regionalität mehr zu bezahlen." „Wir müssen das regionale Leben wieder in der Region authentisch leben." „Wir benötigen eine Rückbesinnung zum Ursprung unserer regionalen Werte." „Die Werte, die uns groß gemacht haben, sollten wieder in den Mittelpunkt rücken." „Es ist fundamental, dass wir wieder wissen, wer wir sind, was uns in der Region einzigartig macht."

Es scheint so, als hätten wir uns verloren. „Wenn wir Schilder sehen, nach links geht's zu einer Kuh, dann ist was falschgelaufen." Zu viel wird falsch von uns in Szene gesetzt, übertrieben. „Berge werden angeleuchtet, das macht alles keinen Sinn mehr."

Fake ist ein Modewort und obwohl wir dagegen sind, dass wir „ein Disney–Land in den Alpen werden", schaut es danach aus, dass einige von uns in diese Richtung unterwegs sind. Fake, das Falsche, statt Realität. Auch wenn die Gäste immer etwas Neues fordern, heißt dies nicht, dass wir „Fake in den Vordergrund stellen müssen".

Regionalität sollte vielmehr wieder die lokalen Werte und das Traditionelle neu entdecken, all jenes, was wir in den letzten Jahren vergessen haben. Wir müssen die traditionelle Handwerkskunst wiederbeleben und die Künstler*innen in die Region zurückholen, die Mythen und Geschichten, die vergessen wurden, wieder neu entdecken und die alten Bräuche, die immer kommerzieller wurden, beleben.

Das geht Hand in Hand mit weniger Investitionen für Infrastrukturprojekte und weniger unabgestimmten Ideen. Es ist ein Schritt weg davon, dass „es in der Küche fast überall die gleichen Gerichte gibt und unsere Wellnesslandschaften alle gleich aussehen".

Falls wir diese Suche nun starten und uns wiederfinden, können wir nicht nur von den regionalen Werten lernen, sondern sie auch in Form von authentischen Erlebnissen für unsere Gäste anbieten. Nicht für jede*n, aber für diejenigen Besucher*innen die ein Interesse zeigen. Nicht kommerziell ausgebeutet, sondern als ein einzigartiges Erlebnis. Doch bevor wir so weit sind, müssen wir unsere Regionalität definieren. Nicht nur eine „Flucht nach oben auf den Berg kann für uns Tourismus sein", sondern auch „etwas Uriges, Ehrliches mit guter Qualität". Die Regionalität wieder zu leben ist ein positiver Weg, um im Tourismus vorwärtszukommen.

So glauben wir, dass die Gäste kommen werden, weil wir authentisch, offen und menschenbezogen sind. Weil sie nicht immer nur dasselbe erleben. Sie kommen, weil sie die ausgeglichenen Mitarbeiter*innen und die offene Bevölkerung spüren. „Finden das die Gäste, dann sind sie glücklich. Werden sie hier gut bedient, dann kommen sie wieder."

Dadurch sehen wir die neue alte Regionalität als Ausweg aus der Sättigung, der Gleichheit, als Verbesserung der Tourismusgesinnung und als neuen Wachstumstreiber für die nächsten Jahre. „Regionalität in einer Atmosphäre mit hoher Qualität."

Nicht vermarktet als Hype, nicht für jede*n, nicht für jede Region, aber doch als wichtiges Potenzial für viele. Vielmehr eine Neuentdeckung unseres regionalen Ursprungs, der unsere Region früher ausmachte. Die Suche nach den verloren gegangenen Rezepten, der Tradition und den Bräuchen kann beginnen!

Corona zerbrach unser tägliches Geschäft und wir sind in den Regionen gestrandet. Dabei wird für die Einen von uns die Wichtigkeit des lokalen Wirtschaftskreislaufes klarer. Die Anderen sind gezwungen, sich mehr mit ihren Familien und

Nachbarn zu beschäftigen und sie haben die Möglichkeit, Vergessenes wiederzuentdecken.

Ebenso liefert die Krise eine Chance, die Bevölkerung für die Regionalität zu sensibilisieren. Sie sieht, wie einzigartig unsere Regionen sind, denn die Menschen können die Berge auch während der Lockdowns genießen.

Auch mit all den negativen Folgen dieser Krise denken einige von uns, dass „Corona die Möglichkeit bietet, nachzudenken, wie wir uns anders aufstellen könnten". Dass diese Zeit „eigentlich eine große Möglichkeit für uns ist, uns zu verändern". Und schließlich, dass „die Krise uns helfen kann uns wieder zu finden".

Nun liegt es in unseren Händen, die Werte und die Region weiter zu fördern.

NEXT – MEHR ALS NUR LEBENSMITTEL

„Gesundheit durch ein gesundes Leben ist eines der Dinge, die für die Gäste immer wichtiger werden." „Dazu gehören auch gesunde Lebensmittel." „Hier sehen wir eine Chance für den Tourismus."

Doch stehen wir vor einer Herausforderung zwischen dem Wunsch uns zu verändern und der aktuellen Realität. In den letzten Jahren wurden unsere Gäste internationaler und die Geschmacksprofile immer komplexer. Wir wollten alles bestmöglich abdecken. So kam es, dass wir das Regionale und das Saisonale verdrängten.

Den Gästen wurde beides vorenthalten und so verlernten sie den Geschmack der Regionalität. Als Ausgleich wurden unsere Besucher*innen mit jeglicher anderen Kost verwöhnt. Das „wie, woher und was gesund" ist, wurde dabei von uns und den Gästen ausgeblendet.

Einige von uns Praktikern*innen sind der Meinung, dass es Zeit ist, sich auch bei diesem Thema zu verändern. „Wir müssen weg vom Vorurteil, die Landwirte*innen als Rohstoffproduzenten*innen zu sehen. Vielmehr haben sie das Potenzial, Erlebnislieferanten für einen hochqualitativen regionalen Geschmack zu sein." „Das Überbleibsel aus dem Krieg, als man Lebensmittel günstig anbieten musste, um die Ernährung der Bevölkerung zu gewährleisten, ist nicht mehr nötig."

So stehen wir heute vor der Herausforderung, den Besuchern*innen die Lebensmittel als ein gesundes Erlebnis näher zu bringen. Für viele der Gäste ist es allerdings schwer verständlich, dass nicht alle Wünsche sofort bedient werden können. Dass die Lagerung von Lebensmitteln, die sie außerhalb der jeweiligen Saison wünschen, selten gesund ist.

Die Lösung, die wir sehen, scheint auf den ersten Blick einfach. Das Regionale, die Lebensmittel, aber auch die Geschichten dazu können verwendet werden, um die Wertschöpfung zu erhöhen.

Das Kräutersammeln für die Sauna mit Bäuerin Maria kann als Erlebnis für die Gäste verkauft werden, die dann noch beim Aufguss teilnehmen. Das hausgemachte Brot bekommt einen Erlebnischarakter, indem die Gäste die Getreidefelder besuchen oder in alter Tradition beim Brotbacken mithelfen. Die Gäste können in den Ursprung und die Geschichten der Palabirne eingeführt werden, während sie die Früchte selbst pflücken.

„Die Regionalität ist ein großes Potential für uns", denn die Informationsgesellschaft hat den Bezug zu den natürlichen Dingen verloren. Von diesem Verlust können wir profitieren, indem wir mit Erlebnissen, Erfahrungen und neuen authentischen Angeboten die Wertschöpfung erhöhen.

Die Frage stellt sich, für welche Gäste sind solche Lösungen überhaupt interessant?

In den Gesprächen kommen zwei große Richtungen auf. Wir glauben es gibt diejenigen Gäste, die mehr konsumieren und weniger zahlen möchten und jene, die sich bewusst und gesund ernähren wollen. Natürlich handelt es sich bei diesen Gruppen um eine grobe Vereinfachung der Gästeprofile.

Nichtsdestotrotz sind es diese zwei Geschmacksprofile, die wir vermehrt sehen. Die erste Gruppe ist jene, die immer weniger konsumiert. „Auf die Alm wird das Essen mitgenommen oder die Gäste bestellen nur mehr kleinere Gerichte, Snacks und gratis Wasser." Für die Kinder werden „Pommes und Schnitzel serviert, denn es hat sich gezeigt, dass gesunde Ernährung zwar von den Eltern erwünscht ist, aber Kinder dieses Essen verweigern". Wir sehen eine Reduktion von Alkohol und eine Zunahme von Softdrinks. Zusammengefasst, „ein einfaches

Essen, für das wir keinen ausgebildeten Koch benötigen". Diese Gäste gehen auch noch vermehrt in den lokalen Supermarkt und nicht in regionale Restaurants. „Solche Gäste helfen unserer regionalen Wertschöpfung wenig."

Die zweite große Gruppe, sind die Gäste, die interessiert daran sind, was sie konsumieren. Das sind diejenigen, für die wir ein Potenzial in der Erhöhung der regionalen Wertschöpfung sehen. Es sind diese Gäste, die stehts fragen, falls ein neues Gericht aufgetischt wird, die experimentierfreudiger sind, die auch mal einen Tag ohne Fleisch auskommen können. Diese Besucher*innen sind neugierig und wollen unsere Ferienregionen auch anders erleben. Hier steht nicht das Bio–Produkt im Vordergrund, sondern vielmehr die Regionalität der Produkte. „Denn regional ist günstiger und besser für die Nachhaltigkeit, fallen doch die langen Transportwege weg."

Doch wie können wir diese Gruppe von Gästen in den Ferienregionen bedienen? Die „Null–Kilometer–Versorgung" ist eine Illusion und „lokale Lebensmittel existieren nur bedingt für unseren Betrieb. „Die Versorgung ist heute noch sehr limitiert und reicht für wenige Betriebe, geschweige denn eine Region." Doch das sollte uns nicht daran hindern, den regionalen Geschmack noch stärker hervorzuheben.

Als ersten Schritt in diese Richtung müssen wir den Gästen zeigen, wie unterschiedlich und interessant regionale Gerichte sein können. Als nächstes sollten wir sie mittels Angeboten, Erlebnissen und Themen in die Neuentdeckung des regionalen Geschmacks führen. Wo und von wem werden die Lebensmittel produziert? Kann ich den Bauern oder die Bäuerin besuchen?

Kann ich in einem Tagesausflug mehr über das Lebensmittel lernen?

Dieses Experimentieren wird begleitet von Geschichten über den Ursprung der Produkte oder mit regionalen Mythen.

Hier spielt uns unsere kleinstrukturierte Landwirtschaft in die Hände. Die Landwirte*innen leben die Tradition der Region und kennen viele Geschichten. Sie begleiten die Lebensmittel vom Samen bis zur Ernte. Die Landwirte*innen kennen die Berge, die Kräuter, die Wege und sind die wesentlichsten Landschaftspfleger*innen der Region.

Jedes Erlebnis verändert die Gäste und schärft gleichzeitig die Positionierung der Region. Die Kulinarik angedockt an das Regionale sehen wir als Potenzial, um die richtigen Gäste zu bekommen.

Nun ist diese Regionalität Praxis: „Von Tirol für Tirol" ist kein Slogan mehr, sondern eine noch größere Notwendigkeit für das Überleben der lokalen Wirtschaft. Das Regionale wird nun durch Corona immer häufiger nachgefragt. Gemüsekisten haben eine lange Warteliste und Bauernmärkte werden noch besser besucht als zuvor. Doch wir glauben, dass das Konsumieren keinesfalls nach Corona bewusster wird. Wir haben zwar das Potential anders zu sein, denn in der Krise lernten wir sogar die „Rolle Klopapier wertzuschätzen".

*Wie immer entscheiden wir Praktiker*innen, ob wir nun diese regionale Kulinarik stärker bei uns aufnehmen und sie sich zu einem weiteren Differenzierungsmerkmal der Region entwickeln wird.*

NEXT – EINE AUTHENTISCHE POSITIONIERUNG

„Wir haben oft keine richtige Positionierung, sondern leben den kleinsten gemeinsamen Nenner." „Emotionen sind wichtig für eine erfolgreiche Positionierung unserer Regionen." „Ganz wenige Tourismusverbände, Bergbahnen und Betriebe haben eine Strategie oder eine ausgereifte Positionierung, ganz wenige!" „Es gibt keine 10 Ferienregionen, die eine Strategie haben." „Wir sehen viele Visionen und wenig Positionierungen."

So akzeptieren viele von uns jegliche Gäste und haben starke Bedenken, sich klarer aufzustellen. Das Problem liegt tief. „Die Masse von uns versteht sehr wenig unsere Gäste." „Eigentlich geht es weniger darum, dass wir unsere Kunden*innen nicht kennen. Vielmehr haben wir Sorge, auch nur einzelne Gäste zu verlieren." „Wenn ich nichts für Veganer*innen, Vegetarier*innen und alle anderen etwas auf der Speisekarte habe, dann verliere ich Kunden*innen." „Auch wenn ich weiß, dass die Gäste falsch in der Region sind, um Partys zu feiern, sage ich ihnen sicher nichts."

Es scheint diese Angst, Kunden*innen zu verlieren, hat sich tief in unserem Denken verwurzelt. Sie ist allgegenwärtig und wurde an uns vererbt. Die letzten Generationen brauchten die Gäste für das Wachstum, und zwar jede*n einzelnen. Dadurch leben wir heute den Luxus, den wir kennen. „Doch der Erfolg hat viele von uns ängstlich und stur gemacht." In den Gesprächen sieht man, dass uns der Mut fehlt, sich zu verändern und härtere unternehmerische Entscheidungen zu treffen. Das gilt für Praktiker*innen und Politiker*innen gleichermaßen.

Ja, jede Entscheidung hat Auswirkungen auf die Regionen, die Betriebe und die Gäste. „Aber wenn wir uns ehrlich präsentieren, dann kommen die richtigen Kunden*innen, denn sie spüren es, dass sie bei uns richtig sind."

„Ehrlich" ist ein komisches Wort: Was verstehen wir darunter? Wir beschreiben „ehrlich als all das was uns wirklich motiviert, privat wie professionell".

Jede Familie hat ihre Bräuche, ihre Kultur und ihre Sitten. Alle von uns haben Hobbys, Vorlieben und leben ihre Werte. „Es gibt keinen Betrieb, keine Ferienregion, die gleich ist. Doch heute sind wir das."

„Ganz wenige Tourismusverbände, Bergbahnen oder Betriebe haben eine ausgereifte Positionierung." Einige von uns finden noch schärfere Worte. „Viele von uns haben im Tourismus versagt, sind falsch beraten worden oder hatten keine Zeit." „Doch eine geschärfte Positionierung ist fundamental für das Land, die Regionen und die Betriebe in den nächsten Jahren."

Welche Werte sehen wir für eine neue Positionierung? Ehrlich, authentisch, erlebnisstark, greifbar, positiv und wichtig: emotional. „Die Gäste sollten die neuen Werte spüren, die wir leben, denn die Gastfreundschaft und die Höflichkeit sind heute Grundlagen, die wir immer erfüllen müssen." Das gleiche gilt für die Hardware, „sie ist exzellent, so auch die regionale Infrastruktur, aber all das gehört zur Grundausstattung".

Der Mensch ist auf der Suche nach einem emotionalen, aufrichtigen und menschlichen Angebot. Wir meinen, er sucht unsere kleinstrukturierte Regionalität, die perfekt für unterschiedliche Einzigartigkeiten ist. Jedes Tal hat seine

Geschichte, seine Besonderheiten. Wir müssen diese Einzigartigkeiten wiederfinden und vermehrt an die Gäste weitergeben.

Die Betreiber*innen eines Hotels und z.B. begeisterte Kletterer*innen, können ihr Haus in einen Hotspot für diesen Sport verwandeln. Das Frühstück ist ein Kraftfrühstück mit frischen, selbst gemixten gesunden Energy–Shots. Als Hauptattraktion gibt es eine Indoor– und eine Outdoor– Kletterwand. In den Zimmern werden Seile als Tür und Schrankgriffe verarbeitet. Tipps und Tricks für die besten Klettersteige werden am Abend in der Gruppe ausgetauscht. Die Eigentümer*innen präsentieren eine Auswahl der regionalen Partnerschaften mit Wellnessangeboten für eine schnelle Regenerierung nach Kletterpartien, oder Gastlokale mit einem Spezial–Kraft–Teller für die Gäste und, und, und. Die Gäste, der Betrieb und die Ferienregion spielen bei einem solchen Angebot harmonisch zusammen. Die Gäste danken es.

Daher reicht ein knackiger, aber nicht wahrheitsgetreuer Marketingslogan nicht mehr aus. „Leere Slogans sind tot". Die Gäste suchen immer weniger nach Konsumgütern, die das Gleiche versprechen und für die sie sich dann eventuell noch daheim bei ihren Freunden*innen nach der Rückkehr schämen müssen.

Wenn ein Betrieb Nachhaltigkeit für seine Positionierung entdeckt und in sein Angebot mit aufnimmt, möchten die Gäste diesen Wert ebenso in der Ferienregion spüren. Wenn einer von uns die regionalen Lebensmittel in den Mittelpunkt stellt und sich auf das Erzählen von Geschichten spezialisiert, so müssen diese einen Bezug zur Region haben. Oder falls ein Betrieb auf „Entschleunigung" setzt, dann sollten das Angebot und die Erlebnisse damit harmonisieren, auch an den vorgeschlagenen Plätzen in der Region.

Die Beispiele schildern das Potenzial der authentischen Werte und deren Erlebnischarakter. Eine authentische Positionierung steht auch für eine Zusammenarbeit zwischen den Betrieben, Geschäften und Erlebnisanbietern, die die gleichen Werte leben. Nun ist es unsere Aufgabe, den Gästen unsere Werte zusammenhängend zu vermitteln.

Als Mensch, Betrieb oder Region, wir können uns viel schärfer positionieren, neue Erlebnisse gestalten und mit diesem ehrlichen Angebot die richtigen Gäste zu uns holen. Nicht alle Gäste, sondern jene, die unsere Einzigartigkeit wertschätzen.

Die Krise scheint eine neue Möglichkeit für die kleinen Regionen zu bieten. Für jene Plätze, die bewusster ausgewählt werden, sich schneller an die neuen Erwartungen der Gäste anpassen können. Diese isolierteren Regionen, scheinen nun Glück zu haben. „Sie sind einfach noch authentischer." Werte, wie Entspannung, weniger Stress oder mehr gefühlte Sicherheit, sprechen zurzeit für kleinere Regionen. Es wird sich zeigen, ob nach Corona diese Werte weiterhin einen Höhenflug erleben, oder ob die großen Regionen wieder an Oberhand gewinnen werden.

NEXT – MEHR SOMMER UND WENIGER WINTER

„Wir müssen die Gäste für den Sommer inspirieren, doch sehen wir immer nur das Gleiche im Angebot." „Auch die besten Ferienregionen müssen noch viel für den Sommertourismus machen, denn er wird immer wichtiger werden." „Der Sommer ist noch immer in den Kinderschuhen." „Für den Winter haben wir viele Konzepte, für den Sommer haben wir halt fast nix." „Die warme Jahreszeit bietet noch viel mehr Raum für eine gute Positionierung." „Er wird immer noch zu wenig verkauft." „Im Sommer haben wir ein Preisproblem." „Der Sommer ist die größte Gefahr für die Region." „Der Sommertourismus entwickelt sich positiv, aber auf einem niedrigen Niveau."

Der Sommer muss stärker werden? „Doch noch immer gewinnt der Winter schnell wieder an Oberhand, sobald das Geld stimmt." Ist der stärkere Sommer nur ein frommer Wunsch von uns oder glauben wir an sein Potenzial als zweites Standbein neben dem Winter?

Auf jeden Fall wissen wir eines. Die Vegetationszeiten verlängern sich immer mehr. So sehen wir, dass diese von durchschnittlich 148 Tagen im Jahr auf rund 169 Tage in den nächsten 20–30 Jahren in Tirol anwachsen werden. Das klingt nach wenig, ist aber fast ein Tag pro Jahr. Das ist ein Tag weniger Winter, weniger bewährte Konzepte. So werden die Skitage kürzer und „die alte Strategie von immer mehr Schneekanonen wird nicht ewig funktionieren". „Wir wandern rauf auf über 1300 Meter, beschneien oder wir übersommern den Schnee."

Nachschärfen, investieren, differenzieren steht an. Denn im Winter haben wir eine Sättigung erreicht und unsere finanzielle Abhängigkeit ist groß. „Würden wir 3–4 Jahre einen schneearmen Winter haben, dann hätten wir eine Überlebenskrise."

Über ein Tirol ohne Schnee zu reden, war noch ein No–Go vor wenigen Jahren. „Überlegungen, dass Winter– und Sommertourismus gleich wichtig werden könnten, war bis vor kurzem öffentlich nicht denkbar." Nun ist die Zeit vorbei, davor die Augen zu verschließen. So sind wir uns fast einig, dass „der Winter ein immer höheres Risiko in sich birgt und der Sommer ein großes Potenzial hat". „Wir können uns immer weniger auf den Winter verlassen."

Es ist verständlich, dass wir den Winter bis zur letzten Minute ausreizen werden und müssen. „Wir brauchen das Geld noch, um den Sommer auszugleichen." Das ist finanziell notwendig und „die Leute lebten auf diese Art den Tourismus in den Regionen für Jahrzehnte". „Daher werden unangenehme Entscheidungen hinausgeschoben, solange es den gewohnten Gewinn gibt."

Doch sobald einige Winter schneeloser sein werden, müssen wir über vieles diskutieren. Kleine Skiregionen verlieren schnell ihre Existenzberechtigung und der öffentliche Träger muss entscheiden, wie es weitergeht. „Wir kennen es noch vom Hallenbädersterben aus den 70er– und 80er–Jahren. Damals haben wir die demografischen Veränderungen nicht berücksichtigt und uns zu viel von unseren Kassen treiben lassen." Das Gleiche kann uns bei vielen Skigebieten passieren.

Daher lautet die Strategie: Wir müssen uns rasch auf die neue Realität vorbereiten.

„All das sind Dinge, die wir vor ein paar Jahren keineswegs sagen durften." Ebenso, dass der Sommer und die anderen Saisonen wichtig sind, „in der Zukunft sogar vielleicht gleich oder wichtiger als der Winter". Wir sehen jetzt schon, dass der wärmere Frühling, der heißere Sommer und der spätere Herbst keinesfalls nur mehr Zwischenmonate sind. „Es sind nicht mehr nur Zeiten zwischen dem Winter." „Es sind keine Nebensaisonen mehr, sondern Möglichkeiten."

Heuer haben wir erlebt, dass das Angebot im Sommer noch viel Nachholbedarf hat. Wir sehen, dass „es noch in den Kinderschuhen steckt". Der Sommer wird kommen. Der Frühling und Frühsommer, Spätsommer und Herbst ebenso. Aber bis wir das Niveau des Winters erreichen werden, dauert es noch.

Einige von unseren Ferienregionen wünschen sich eine Jahresdestination zu sein, das ist nichts Neues. Doch ist eine solche Vision oft zu grob, zu ungenau und zeigt keinen praktischen authentischen Weg wie sie umgesetzt werden kann. Falls wir jedoch eine Ganzjahresdestination sein wollen, dann müssen wir, unsere Angebote, Gerichte und Erlebnisse saisonal oder noch kürzer anpassen. Das resultiert in einer noch dynamischeren Positionierung für jede Jahreszeit.

Langsam gibt es in Tirol Entscheidungen in diese Richtung. Wir sehen die Möglichkeit einer Entschleunigung und eine neue Bedeutung des Wortes „Genuss". Südtirol ist hier seit Jahren schon ein Vorreiter. Tirol folgt nun diesem Weg. Wir wollen uns noch stärker mit dem Genuss, der Gastfreundschaft und unserer Kultur für die nächsten Jahre positionieren.

Doch das bringt viele Veränderungen mit sich. „Die Marke Tirol ist noch viel zu hart aufgeladen." „In Tirol haben wir für lange Zeit auf den Alpinsport gesetzt und uns sehr erfolgreich damit positioniert. Unsere Infrastruktur wurde dahin ausgelegt, auch unser Branding." Für einige von uns ist diese Positionierung die richtige für die Zukunft. „Skifahren und Snowboarden wird es auch in der Zukunft geben, doch wir haben hier eine Marktsättigung im Wachstum erreicht."

Daher sehen andere von uns in den Gesprächen, dass auch die langsamen Sportarten wie Schneeschuhwandern oder Skitouren, die Zukunft sein kann. Tirol gemütlich, anders. Diese Gemütlichkeit kollidiert mit unserer harten Positionierung für den Winter, liefert aber ein Potenzial für die anderen Jahreszeiten.

Allerdings zeigt es sich auch, wie wichtig und groß die Herausforderung ist, sich gemeinsam für den Sommer und die anderen Jahreszeiten aufzustellen. „Wir müssen noch schneller aus dem Winterschlaf erwachen und uns endlich mal zusammenreden."

Corona brachte vielen von uns einen schönen Sommer. Eine Realität, in welcher die Einheimischen und Gäste auf die Berge und die Attraktionen stürmten. Eine außergewöhnliche Zeit, in der die Hotels längere Aufenthaltsdauern hatten als im Winter. So machten einige Hütten „doppelt so hohe Einnahmen wie im letzten Jahr". Doch trotz all dieser positiven Entwicklungen des letzten Sommers müssen wir noch viel lernen.

Die Gäste und die lokale Bevölkerung verteilten sich zu wenig. Die wenigen und gleichen Sommerattraktionen wurden überlaufen, was immer wieder zu einem neuen Konflikt zwischen den Einheimischen und den Gästen führte. Ebenso ließen einzelne Betreiber Touristen*innen die Attraktionen benutzen, doch Einheimischen wurde der Zutritt verwehrt. Die Angst vor der Krise hat uns noch weniger an einem gemeinsamen Strang ziehen lassen. „Es gab noch mehr Ausreißer, denn es ging ums Überleben." Ja, wir dachten, dass der Sommer sehr schwierig für fast alle von uns werden würde. Doch als dann die Einheimischen merkten, dass einige von uns den besten Sommer ihres Lebens hatten, schlug die Meinung schnell um. „Also nix, mit einer besseren Tourismusgesinnung dank Corona."

Viele Fragen sind noch offen wie sich der Sommer in der Zukunft entwickeln wird. Was verändern wir bis zum nächsten Sommer? Was haben wir von 2020 gelernt? Wie vermeiden wir auch im Sommer einen möglichen Konflikt zwischen Gästen und Einheimischen?

Wir haben keinesfalls all die Antworten auf diese Fragen. Doch Corona hat uns einen Strich durch die Rechnung gemacht. „Nichts mehr mit einem langsamen Vorbereiten auf den Sommer und unsere Erwartungen sind nun enorm, aber eigentlich gefällt uns schnell eh besser."

NEXT – EINE „MENSCHLICHE POSITIONIERUNG"

„Die Zukunft ist der Mensch und das Menschliche." „Eine klare Positionierungsstrategie hat ein Entscheidungsgerüst basierend auf den regionalen Werten." „Emotionen sind eine der wesentlichsten Beiträge für die erfolgreiche Positionierung der Ferienregion." „Jedes Jahr Wachstum kann das Dorfgefüge schnell zerstören." „Wir brauchen eine Positionierung, die durch die einzelnen Gegebenheiten der Täler, der Kultur und der Menschen in den Regionen definiert wird."

Abschalten, rauskommen und einfach den Alltag kompensieren. Ob mentale oder körperliche Entspannung, die Gäste möchten etwas anderes erleben, wenn sie im Urlaub sind. Sie sehnen sich schlichtweg nach Erfahrungen, die sie im Alltag nicht machen. Vielleicht hatten sie zuvor keine Zeit oder keine Möglichkeit für diese Erlebnisse? Eventuell waren sie zuvor zu angespannt und verschlossen? Egal, unser Tourismus lebt von den verschiedenen Fluchtverhalten der Gäste.

In den Gesprächen beschreiben einige von uns, dass die „Flucht nach der Wirklichkeit" spürbar steigt. Was bedeutet Wirklichkeit? Wir sehen hier, dass das den Ursprung der Region, der umliegenden Natur, der gelebten Werte und der gewachsenen Tradition bedeutet. Die „Flucht nach der Wirklichkeit" heißt, dass die Gäste sich mit den Einzigartigkeiten, die die Ferienregion ausmacht, verbindet. So sehen wir ein erhöhtes Interesse der Gäste für neue Erlebnisse wie: Yoga im Hühnerstall, die Kombination von glamourös und Camping (Glamping) bis hin zum Erleben von regionalen Ritualen und Bräuchen.

„Die Gäste möchten die Wirklichkeit, nicht Fake, oder ein Disney–Land auf dem Berg erleben." Sie suchen vielmehr die „authentischen, ehrlichen, einzigartigen, warmherzigen Begegnungen mit den Menschen in der Region". Das steht im Vordergrund.

Dann sehen wir noch die „Flucht aus der Wirklichkeit". In einem solchen Fall möchten die Gäste den Alltag nur vergessen. Ob durch Dauerpartys oder gut inszenierte Fakes. Die Gäste wollen nur abschalten, sich von ihrem Alltag lösen.

Hier stellt sich dann die Frage: Wissen die Gäste was sie möchten, Wirklichkeit oder Fake? Finden wir hier einen gemeinsamen Nenner?

Wir sind uns hier in den Gesprächen nicht einig. Wir meinen, dass die Antwort davon abhängig ist, was die Gäste konsumieren möchten. Suchen sie nach fertigen Angeboten, interaktiven Erlebnissen oder wollen sie überrascht werden?

So fallen die Gäste schnell in einen „Rausch", wenn sie mit einer Vielzahl von touristischen Angeboten überflutet werden. Wir kennen dies alle aus den Supermärkten. Oft nehmen wir Produkte, die wir gar nicht brauchen, mit nach Hause, nur weil gerade eine Aktion läuft.

Die gleiche Logik trifft auch auf den Tourismus zu. Die Gäste übertreiben in den Saunas oder an den Buffets, nutzen alles aus, was im Angebot inbegriffen ist. Nicht weil sie sich gesünder fühlen, sondern weil sie dafür gezahlt haben. Hier reden wir vom „Ich möchte das jetzt haben Verhalten", das wir in den letzten Jahren aktiv bei den Gästen im Tourismus gefördert haben. Ein

Konsum bis zur letzten Minute. Ein Verhalten wo die Gäste erwarten, dass alles was sie sich wünschen sofort geliefert wird. Hier müssen wir dringend etwas verändern.

Andererseits glauben wir, dass die Gäste wissen, was sie mögen. Sie kennen ihre Sehnsüchte. „Sie sind sich ihrer Emotionen bewusst, die sie erleben möchten." Unsere Aufgabe ist daher, das richtige Erlebnis für sie zu finden und richtig zu dosieren. Denn, obwohl die Gäste wissen, „was" sie erleben möchten, haben wenige die Klarheit „wie sie ihre Sehnsucht in der Region bestmöglich erfüllen können". „Sachen laufen wir blind hinterher, Erlebnisse vergessen wir nicht so schnell."

Die Mischung aus Emotionen, Erlebnissen und Bedürfnissen zusammen mit Überraschungen hat viel Potenzial. Aber Achtung! Was wir den Gästen versprechen, müssen wir auch liefern.

Wir werden diese Krise mit sehr vielen Wünschen verlassen: mehr soziale Kontakte, einfach nur Party, mal alles wieder vergessen. Egal, wie wir uns entscheiden, wir Menschen werden nach Corona ein starkes Fluchtverhalten aufzeigen. „Sobald das erste Hotel aufsperrt, sind wir dort, egal wo." „Ich wünsche mir endlich mal wieder Sauna."

Nach Corona wird eine Zeit anbrechen, wo wir versuchen werden, unsere Wünsche so schnell wie möglich zu befriedigen. Denn „die Menschen möchten wieder leben, andere Leute treffen und verpasste Momente so schnell wie möglich nachholen".

NEXT – DER GAST IST NICHT MEHR KÖNIG

„Wir haben ein Werteproblem im Tourismus und alles begann, als wir die Gäste zu Königen*innen für unser Wachstum krönten." „Heute erleben wir ein Dilemma." „In einem Tempo konsumieren die Gäste, so dass man sich fragt, ob das noch Urlaub sein kann." „Vollgas geht es zu." „So sehen wir öfter, dass die Gäste gleich nach der Ankunft die Ski–Schuhe anschnallen und schnell zum Après–Ski gehen." „Bei anderen sehen wir einen richtigen Klicktourismus." „Alles muss fotografiert werden, jedoch wird wenig erlebt."

Klar, dass dieser Konsum den Gästen nun genauso gefällt, denn sie können angenehm leben und das Maximale herausholen." Konsum, weil sie es können und weniger, weil dieser besser oder gesünder ist.

„Nein, nein, nein. Wir reden hier nicht schlecht über die Gäste, aber manchmal reicht es auch." Der Tourismus dreht sich um viel mehr als nur um sie. Die Region ist größer und beinhaltet auch die Mitarbeiter*innen, die Einheimischen, die Landschaft, die Natur und uns Praktiker*innen.

„Unsere Gäste sind Könige*innen, ihr egoistischer Konsum aber keinesfalls." So oft fehlt die einfache Wertschätzung des Anderen. „Der Konsum steht zu oft über den Menschen und über der Natur." Wieso muss ich im März eine Mango essen, wieso im Jänner frische Beeren und morgen meinen Sonderwunsch? „Das muss nicht sein, auch nicht in einem Vier–Sterne– oder Fünf–Sterne–Betrieb."

Wir haben uns an die Sonderwünsche schon gewöhnt, denn die Gäste sind bei uns auf Besuch und zahlen gut dafür. Doch wenn wir sie immer weiter so bedienen, dann „wachsen sie zu Zombies heran, nein, sind sie schon". „Wir haben die Gäste zu Könige*innen gekrönt, nun müssen wir ihnen erklären, dass es so nicht weitergeht." Wir müssen aufzeigen, dass die Natur Zeit benötigt nachzuwachsen, dass die Lieferketten unsere Umwelt und die Einheimischen belasten und dass gesunde Ernährung, saisonale Speisen bedeutet.

Dies zu zeigen, liegt in unseren Händen. Mit Hilfe von Gesprächen müssen wir die Gäste aktiver einbinden, ihnen Neues aufzeigen und sie führen. Das funktioniert aber nur, wenn wir sie nicht über jede*n und alles setzen. Wenn wir weniger blind wachsen und alle Gäste akzeptieren müssen.

Ja, all dies bedeutet Veränderung. Doch einige Praktiker*innen sind schon mittendrin. Sie bieten vermehrt regionale und saisonale Lebensmittel an. Andere haben auf eine Vollverwertung der Tiere umgestellt. Wieder andere von uns setzen bewusst einen Tag in der Woche an, an welchem sie kein Fleisch im hauseigenen Restaurant anbieten.

Immer wenn die Gäste auf solche Veränderungen stoßen, staunen sie anfänglich. Einige kommen auf uns zu und fragen, wieso wir das machen. Das ist der Start eines Gespräches. Einer Unterhaltung, in der wir die Gäste keinesfalls belehren, sondern ihnen die Gründe erklären und ihnen neue Alternativen präsentieren können. Interessant dabei ist, dass solche Veränderungen von den meisten Gästen gut akzeptiert werden. „Natürlich existieren die einen oder anderen, die unzufrieden sind und kein Gespräch suchen oder es abbrechen. Doch hier müssen wir uns fragen, sind sie dann die richtigen Gäste für uns?"

Wenn die Gäste nicht mehr die Könige*innen sind, wer ist es dann? Noch vor Corona war der überwiegende Großteil von uns Praktikern*innen der Meinung, dass die Mitarbeiter*innen wichtiger sind als die Gäste.

„Weniger als Marketinggag, sondern ehrlich." Natürlich brauchen wir Gäste und Mitarbeiter*innen für den Erfolg. „Doch gute Mitarbeiter*innen sind heute nun mal schwerer zu finden als Gäste", das ist unsere überwiegende Meinung. Nun kam Corona und wir entscheiden, ob wir unseren Worten folgen oder die „Gäste als Könige*innen 2.0 feiern werden."

*Es war uns bekannt, aber erst durch Corona wurde uns so manches Verhalten wirklich bewusst. „Ich bin geschockt", konnte man vernehmen. Als klar wurde, dass alles durch Corona heruntergefahren wird, hatten sich einige Gäste geweigert, das zu akzeptieren. Sie erwarteten einen Konsum bis zur letzten Minute, egal, ob die Mitarbeiter*innen noch abfahren mussten, um rechtzeitig über die Grenze in ihre Heimatländer zu kommen.*

Im Sommer, nachdem die Grenzen wieder offen waren, war es nicht anders. Manche Gäste fragten, „wieso die Einheimischen auch auf die Berge müssen". Wir sehen, dass der Zombie existiert. Dieses Recht auf Konsum müssen wir verstärkt hinterfragen. Die Gäste sind wichtig. Doch nicht nur sie, *sondern auch unsere Mitarbeiter*innen, die Einheimischen, die Umwelt und wir.*

NEXT – ALS ERSTES KOMMEN DIE MITARBEITER*INNEN

„Mitarbeiter*innen sind schwieriger zu bekommen als Gäste." „Wir können uns aussuchen wer unsere Gäste sind. Bei den Mitarbeitern*innen ist dies immer weniger der Fall." „Wir müssen die Mitarbeiter*innen mindestens so gut wie die Gäste behandeln." „Die Betriebe müssen sich auf die Mitarbeiter*innen einstellen, nicht umgekehrt." „Wir müssen neue Wege gehen." „Wenn wir die Mitarbeiter*innen zu uns in die Region holen, dann brauchen wir auch einen Lebensraum, indem sie sich wohlfühlen." „Durch den Wechsel der Mitarbeiter*innen in den Betrieben und zwischen den Regionen geht viel verloren." „Ich weiß nicht mehr, welchen Purzelbaum ich noch schlagen sollte, und trotzdem haben wir ein Problem, die geeigneten Mitarbeiter*innen zu finden."

Bis vor Kurzem war es noch ein Marketingspruch, den wir bei Events und in den Medien oft verwendeten. Doch hat sich nun etwas verändert? In den Gesprächen sehen wir überwiegend, dass der Wandel stattfindet, dass die Mitarbeiter*innen wichtiger als Gäste sind. „Es ist der heutige Mangel am Personal, der uns zwingt, die Mitarbeiter*innen an die erste Stelle zu setzen", und in den nächsten Jahren wird diese Herausforderung noch größer werden. „Die geburtenarmen Generationen kommen erst noch." „In den letzten 10 Jahren sahen wir eine Halbierung des

Interesses, im Tourismus zu arbeiten." „Eine große Pensionswelle rollt an und startet im Jahr 2022."

So ist es nicht verwunderlich, dass die Notwendigkeit besteht, uns auf die Mitarbeiter*innen einzustellen. „Ganz klar ist es die richtige Richtung, die Mitarbeiter*innen vor die Gäste zu stellen." „Es geht natürlich nicht ohne beide, das ist uns bewusst, aber die Gäste kommen einfacher." „Wir sollten uns viel mehr auf die Mitarbeiter*innen fokussieren und die Aufgabe der Region ist es, dass die richtigen Gäste kommen."

Dieser Mangel lässt uns nichts anderes übrig, als durch Aktionen und nicht nur durch Marketing unser Image zu verbessern. „Es scheint, wir machen keinen guten Job, unser unattraktives Image zu ändern, weder in den Betrieben noch in den Regionen. Alles geht nur sehr langsam voran." „Heute noch sind wir durch einen schlechten Gehalt, durchgehenden Stress und das Gefühl der Ausnutzung bekannt." Diese Wahrnehmung ist oft noch zu tief in der Gesellschaft verankert. „Der Knappe, der zu dienen hat, war der Ursprung und das müssen wir hinter uns lassen. Das darf nie mehr gelebt werden." „Der autoritäre Führungsstil muss der Vergangenheit angehören. Hier müssen Jung und Alt zusammenarbeiten." „Wir müssen uns wieder mit den Menschen befassen und dazu muss man den Menschen mögen."

Doch nicht nur die Gesellschaft glaubt, dass wir unsere Mitarbeiter*innen nicht so gut behandeln. Wir müssen auch bei den Gästen ansetzen. „So manche reden die Mitarbeiter*innen madig und wie schlecht es ihnen in ihrer Arbeit wohl gehen mag." „Wir können Gäste schwer belehren, aber durch unsere Aktionen zeigen, dass dies nicht der Fall ist." „Die

Mitarbeiter*innen wie auch die Gäste spüren es, wenn wir im Betrieb aufrichtig und authentisch sind."

So schließt sich der Kreis und wir können „die grundlegende Frage leichter beantworten: Wieso sollen die Mitarbeiter*innen überhaupt zu uns kommen?" Sie kommen wegen der Werte, die wir leben. Wegen der ehrlichen und authentischen Positionierung, die uns erfolgreich macht, und wegen der Wertschätzung, die wir ihnen entgegen bringen.

Um dem Mangel zu entkommen sehen wir zwei Wege. Erstens gilt es praktisch zu sein, wenn wir Mitarbeiter*innen suchen. „Wir brauchen keinen Koch oder Köchin für die Ausgabe von Käsespätzle oder für Berner Würsteln." Zweitens sehen wir, dass wir neue Talente mit neuen Ideen benötigen, speziell für das mittlere Management in den Betrieben.

Die müssen aktiv im Tourismus und in anderen Industrien gesucht werden. „Wir brauchen keineswegs immer die gleichen Leute, die aus Hotelfamilien kommen." „Die Ausbildung hinkt hinterher und erfahrene Mitarbeiter*innen sucht man lang."

Unsere Betriebe müssen sich verändern und kreativer darin werden, wie wir die Mitarbeiter*innen für uns gewinnen und halten können. So hatten einige Gesprächspartner*innen interessante, aber auch herausfordernde Ideen.

Falls unser Betrieb von der nächsten großen Stadt mit ein wenig Nachtleben zu weit weg ist, wieso organisieren wir nicht für unsere Mitarbeiter*innen fürs Wochenende einen Transport und eine Wohnung dort? Wieso entwickeln wir keine neuen Loyalitätsprogramme für sie, mit denen sie sich beruflich weiterentwickeln können? Wieso helfen wir ihnen nicht noch mehr, sich in die regionale Gemeinschaft zu integrieren?

Allerdings sieht nicht jeder von uns derartige Vorschläge als positiv an. „Auch wenn das interessante Ideen sind, wie soll ich das zahlen?" Sind doch nicht gerade die Personalkosten in unseren Betrieben schon zu hoch? Deshalb sollten wir die Herausforderungen aus verschiedenen Blickwinkeln betrachten. Das beinhaltet zu hinterfragen, ob unsere Positionierung geschärft und unser Betriebsmodel auf Wertschöpfung und nicht auf Wachstum ausgelegt ist. Sind wir uns hier sicher, dann sehen wir, dass wir „durch die Erhöhung unserer Wertschöpfung auch bessere Mitarbeiter*innen im Tourismus garantieren können".

Solch ein Schritt wird in den nächsten Jahren notwendig sein. Eine Zukunft, die für viele von uns schwieriger wird. Doch „hilft es wenig, wenn wir uns gegen weitere Investitionen für unsere Mitarbeiter*innen sträuben oder nur schimpfen". Wir müssen uns verändern.

Nicht nur wir, sondern auch die Region und der regionale Lebensraum. Mitarbeiter*innen wollen sich immer mehr in das soziale Gefüge integrieren und dazu werden sie unsere Hilfe benötigen. Von Familienplanung angefangen hin bis zur leistbaren Wohnung oder mehr Freizeitaktivitäten in der Region. „Sie möchten nicht nur bei uns arbeiten, sondern auch leben."

Doch wer soll das weitere Angebot schaffen und für einen leistbaren Wohnungsmarkt sorgen? Die Betriebe? Der

Tourismusverband? Die Gemeinde? Interessante Fragen, zu denen wir heute noch keine Antworten haben.

Falls wir aber eine Lösung dafür finden, dann sollten wir auch garantieren, dass die Mitarbeiter*innen so gut wie möglich in unserem regionalen Lebensraum bleiben. Dass sie zwischen den Betrieben und nicht zwischen den Regionen wechseln. „Wir brauchen eine übergreifende Initiative in der Region, damit sie hierbleiben."

„Denn wenn sie von einem Betrieb zum anderen wechseln möchten, so kennen sie doch schon die Region und würden weiter Teil des sozialen Gefüges bleiben." „Es macht keinen Sinn, sie zu verlieren." Digitale Lösungen können hier helfen, natürlich unter Berücksichtigung aller rechtlichen Fragen.

Eine weitere Möglichkeit, eine Abwanderung zu verhindern und für mehr regionale Mitarbeiter*innen zu sorgen, sind neue digitale Arbeitskonzepte wie Homeoffice. „Solche Lösungen sind für verschiedene Positionen möglich und produktiv und würden auch viele Frauen in der Region ansprechen." Nach Corona nichts Neues und doch eine noch nicht weit verbreitete, aber mögliche Lösung, um die Regionalität und die Gemeinschaftlichkeit zu fördern.

Auch wenn diese Ideen nur ein Ausganspunkt sind, wissen wir, dass wir mehr machen müssen. Denn wenn wir einen Ausweg aus der Sättigung hin zu mehr Wertsteigerung durch mehr Qualität suchen, dann brauchen wir gute Mitarbeiter*innen

„Keine billigen Arbeitskräfte aus noch billigeren Ländern." Weniger „sich selbst jede Woche feiern zu lassen und dann den

Mitarbeiter*innen erklären, dass eine Lohnerhöhung von 50 Euro unmöglich ist".

„Sie sind keine Knappen mehr, die ausgebeutet werden, sondern Menschen, in die wir investieren müssen." Für die wir einen Lebensraum in der Region schaffen sollten. So können wir uns auf Augenhöhe mit den Mitarbeitern*innen treffen, einen Schritt in eine neue demokratischere Begegnungskultur gehen.

Corona ist ein Stresstest für viele Betriebe. Eine Realität, die nun viele Schwachstellen aufzeigt. Eine davon ist, wie wir mit den Mitarbeitern*innen umgehen.

Natürlich haben wir in solch einer Krisenzeit Angst, falsch zu handeln. Einige von uns haben hier die Mitarbeiter*innen in ihre Entscheidungen eingebunden und gemeinsam Lösungen gesucht, andere haben für sie die Entscheidungen getroffen.

In den Gesprächen während der Corona Pandemie zeigte sich, dass die Transparenz und die Integration des Personals in den Entscheidungsprozess als sehr positiv aufgenommen wurde. „Auch wenn Lösungen harte Auswirkungen für die Mitarbeiter*innen hatten, die Entscheidungen waren menschlicher." Der Prozess führte zu einem besseren Verständnis und zur Akzeptanz der Situation. Eines scheint klar zu sein. Die Mitarbeiter*innen werden sich an all jene von uns positiv erinnern, die in der Corona Krise menschlicher, demokratischer und offener gewesen sind.

NEXT – DIE GÄSTE „FÜHREN"

„Kleine Veränderungen führen zu Diskussionen, die der erste Schritt in eine richtige Richtung sind." „Wir zeigen den Gästen vor, wie wir es machen, ohne sie zu belehren oder zu verurteilen." „Es existiert sehr viel Potenzial, die Gäste im Wellnessbereich zu führen." „Wir haben die Macht, den Gästen die Nachhaltigkeit anders näher zu bringen." „Ihnen die Neuigkeiten zu präsentieren enthält ein Riesenpotenzial für den Tourismus."

Der Tourismus kann ein großer Hebel für die Inspiration der Menschen in der Gesellschaft sein. „Durch unsere enge Verbindung mit den Gästen merken wir Veränderungen, die sich anbahnen, schneller." So war „der Tourismus immer ein Vorreiter in Sachen menschlicher Beziehung und Neuigkeiten".

Wir können stolz sagen, dass der Tourismus sich rund um Beziehungen dreht. Wenigstens war dies früher der Fall. „Seither haben sich unsere Prioritäten verschoben. Wir setzten auf Wachstum über alles." Dabei verlernten wir immer mehr das Zwischenmenschliche, doch dies war egal, denn „was wir auch machten, die Gäste kamen, und wir waren froh darüber".

Doch in den Gesprächen scheint es, dass wir keineswegs mehr glücklich über diese Entwicklung sind. Vielmehr kommt oft auf, dass wir im Tourismus wieder mehr „menscheln" müssen. Eine neue Beziehung, offen und vertrauensvoll, mit emotionalen Erlebnissen und einer aktiven Einbindung in die Region. All das, um die Wertschöpfung anzukurbeln. Doch dies ist nach unserer Meinung nur möglich, wenn wir die Gäste führen.

„Den Gästen neue Erlebnisse aufzuzeigen, kann für den Tourismus so wichtig sein wie früher die Gastfreundschaft." Wir können ihnen „die Tür für Erlebnisse öffnen, die einen Unterschied machen", Erfahrung erzeugen, die die Gäste dann mit nach Hause mitnehmen. „Wir reden weniger und lassen sie mehr erleben." Ein neues Erleben der Region, des Lebensraums und der Menschen um sie herum.

Neu, nein. Anders, ja. Heute verbinden einige von uns schon die Regionen mit Automarken, lassen die Gäste mit Produkten testen. Es ist die gleiche Logik, nur jetzt professioneller für authentische Erlebnisse, erlebnisorientiertes Essen, regionale Geschichten und das passende Angebot dazu.

Wie werden die Gäste darauf reagieren, dass sie mehr experimentieren können, geführt werden? Viele werden überrascht und neugierig sein, das sehen wir an den Betrieben, die sich schon in diese Richtung entwickeln. Generell ist die Erfahrung positiv. Diejenigen von uns, die die Gäste schon stärker führen, sehen als Resultat mehr Diskussionen, mehr Interaktionen und eine positive Offenheit. „Wenn wir die Gäste richtig führen, schaffen wir mehr Verständnis und vor allem mehr Vertrauen." Das ist unser Ziel. „Wir wollen, dass sie wiederkommen, nicht nur dank der Gastfreundschaft, sondern weil sie etwas nach Hause mitnehmen."

Was soll hier aber angeboten werden? Wir meinen, dass das „Führen" nur gelingt, wenn wir ehrliche und authentische Werte leben. Wenn wir uns in unserer Positionierung gefunden haben und die Werte verstärken, die uns wirklich ausmachen.

Ohne zu viel theoretisch zu werden: Das Konzept der „holistischen Gesundheit" bietet ein großes Potenzial für unseren Tourismus. Dieser Gesundheitsgedanke hat viele Facetten und alle von uns können sich darin finden.

Von einem Angebot gegen mentalen Stress oder Depressionen, mit einer persönlichen und professionellen Betreuung. Eine kohärente Nachhaltigkeit, die so umgesetzt wird, dass die Gäste auch bei einem täglichen Konsum unserer Angebote sich nicht schämen müssen. Die Vermittlung einer bestimmten Sportart, die die Eigentümer*innen begeistert und die sie in ihrem Betrieb den Gästen näherbringen wollen. Dass die Gäste den grundlegenden Respekt spüren, der durch die Wohlfahrtsökonomie in dem Betrieb erzeugt wird. Neue Angebote für „Hotel Offices", also Arbeitsplätze mit einem Entspannungsprogramm und gesunder Ernährung. Dass die Gäste sich verlieren in endlosen Partys, um frei zu sein, Depressionen abzubauen, oder aus ihrer Isolation ausbrechen zu können. Ein erlebnisorientierter Bildungstourismus, bei dem die Gäste neue Erfahrungen mit nach Hause nehmen können. Oder eine pure Entschleunigung, so dass die Gäste Zeit für sich finden.

Alle Betriebe können sich individuell aufstellen, auch dann, wenn schon eine gemeinsame Positionierung in der Region existiert. Es gibt keinen Grund unseren Nachbarn zu kopieren und das Gleiche anzubieten. „Alles gleich ist der Tod für den Tourismus."

Einige von uns haben schon einen Grundpfeiler gesetzt, „doch man muss sagen, es existiert noch viel Potenzial, um unsere jetzigen Positionierungen zu schärfen."

So zum Beispiel auch „neue Lösungen gegen mentalen Stress", die immer wichtiger werden. Ein Konzept, das wir den Gästen anbieten können, um sich neu zu entdecken. „Wie wäre es, wenn die Gäste für mehrere Tage ohne jeglichen digitalen Kontakt leben würden, um zu sich selbst zu finden? Wenn wir sie dabei aktiv betreuen würden?" Wenn wir ihnen zeigen, wie sie sich in den neu gewonnenen ruhigen Momenten verlieren können? Ein Service gegen Depressionen oder Einsamkeit, alles Themen, die heute grundlegendste Herausforderungen in unserer Gesellschaft sind.

Hier stellt sich die Frage, wie wir bei „mentalem Stress", unsere Gäste besser führen können. Was können wir vermeiden, damit die Gäste den Aufenthalt bei uns genießen? Sind wir ein Betrieb, indem sich unsere Mitarbeiter*innen einen täglichen Ausgleich gönnen können, der z.B. Yoga–Stunden gratis anbietet? Ist unser Managementstil so, dass wir den Stress unserer Mitarbeitern*innen besser verstehen, dass sie diesen somit weniger an die Gäste weitergeben? Gönnen wir den Mitarbeiter*innen immer wieder Entspannungsmomente? Spüren die Gäste schon, wenn sie den Fuß in die Tür setzen, dass sie sich hier wohlfühlen können? Sind die Menüs, die wir anbieten aus Lebensmitteln, die entspannen oder die den Körper stimulieren? Sind die Plätze überlaufen, die wir den Gästen in der Ferienregion vorschlagen? Es gibt viele Möglichkeiten, das Thema der mentalen Entspannung umzusetzen. Welches Angebot das richtige ist, hängt von unseren Werten im Betrieb und in der Region ab.

„Wellness NEXT ist eine holistische Erlebniswelt, in der die Gäste ihre Lebensenergie aufladen können." Bevor man „sinnlose Wellnesslandschaften weiterentwickelt, investiere ich lieber in etwas, was für mich, meinen Betrieb und die Gäste Sinn macht". Denn „mehr und mehr reicht keineswegs für eine Differenzierung". „Hardware ist die Basis und kein Unterscheidungsmerkmal mehr." Das gilt auch für Service und Gastfreundschaft. Mitgeben, ohne aufdringlich zu sein, trifft auf die Sehnsucht der Gäste. Neue Botschaften und das Gefühl, sich entfalten zu können ist das Luxusgut der Zukunft.

Es wird uns durch Corona noch klarer bewusst, dass wir grundlegende soziale Wesen sind und den Kontakt mit den Menschen benötigen. Auch werden wir durch die Krise emotionaler und das nagt an unserer Gesundheit. So zeigt eine Umfrage von Sentio Solutions vom April 2020, dass bei 60 % der Befragten die mentale Gesundheit unter Corona gelitten hat, aber 90 % auch etwas Positives in der Krise finden konnten, wie Zeit mit der Familie, Ausruhen oder einen Neustart. So denken einige von uns Praktiker*innen, dass „wir nach der Pandemie für neue Beziehungen offener und all die unterdrückten menschlichen Notwendigkeiten schnell kompensieren werden".

Doch ebenso ist Fakt, dass die Einsamkeit, die Depressionen und Unausgeglichenheiten uns noch für die nächsten Jahre begleiten werden.

NEXT – DIE ZUKUNFT GEHÖRT DEN JUNGEN

„Wir brauchen die jungen Menschen, um einen neuen Schwung in den Tourismus zu bringen." „Die jungen dynamischen Leute fehlen in unserer Region in dem Ausmaß wie wir sie im Tourismus benötigen." „Wir müssen die Jungen wieder in die Region bringen und von der Industrie abwerben."

Doch fragen sich so manche: Ist das noch meins? „Ich fühle mich keineswegs wohl, da braucht es nur eine Erschütterung zu geben und alles ist weg, was aufgebaut wurde." „Sie hinterfragen das aufgenommene Risiko und die Verschuldung." „Das Hotel wird ein Problem werden, das die Jungen nicht mehr wollen."

Sie stellen sich eine ehrliche Frage: Ist der Tourismus, wie er immer gelebt wurde, noch etwas für mich? „Der Tourismus war lebenskraftmindernd und die Normalität war eine 7–Tage–24–Stunden–Woche." „Für Jahrzehnte buggelten wir bis zu 80 Stunden pro Woche, mit viel Leidenschaft und einem starken Willen."

Kann der Tourismus anders funktionieren? Auch wenn viele von uns noch daran glauben, dass „Leiden im Tourismus dazugehört", findet heute schon langsam ein Umdenken statt. Umso mehr die Jungen zu uns hereindrängen, desto mehr werden sie gehört und haben die Möglichkeit den Tourismus, so wie wir ihn kennen, zu verändern.

Falls wir Praktiker*innen anstreben, die Jungen in der Region zu halten oder wieder zu uns zurückzubringen, müssen wir

Veränderung akzeptieren. Falls wir unsere Kultur sichern wollen in den Regionen, müssen wir bereit sein für Neues. Falls wir die Gremien mit Jungen nachbesetzen wollen, müssen wir sie ihnen schmackhaft machen. Falls wir dem Betrieb neuen Schwung geben möchten, müssen wir schließlich mehr auf die Jungen hören.

Denn die neue Generation tickt anders. Sie glauben daran, dass trotz Arbeit die Freizeit auf keinen Fall zu kurz kommen sollte. Sie sind auch überzeugt davon, dass sie nicht den ganzen Tag und die ganze Nacht arbeiten müssen, um zufrieden zu sein. „Der Job muss zur Lebenseinstellung passen, nicht mehr umgekehrt." „Die Jungen suchen ein neues Bewusstsein, eine neue ausgeglichenere Lebensqualität." Die neue Generation sieht Potenzial in neuen Technologien, Ansätzen und Ideen. Sie wollen sich selbst finden und damit die Positionierung des Betriebes schärfen. Auch möchten sich die Jungen weniger verschulden und mehr auf neue Angebote, Erlebnisse und Erfahrungen setzen. Ebenso leben sie eine neuartige Gemeinschaftlichkeit und nicht mehr den Grundsatz „ich gegen meinen Nachbarn", sondern werden von der Frage motiviert „was können wir gemeinsam machen". Sie sind auch mit den Mitarbeitern*innen mehr auf Augenhöhe, demokratischer und beziehen sie mehr in relevante Entscheidungen mit ein. „Die neue Generation möchte den Tourismus mehr für sich und nicht nur als Geldmaschine leben": Und doch möchten sie, was wir auch wollten. Sie wollen mitwirken, ihre Ideen einbringen und wertgeschätzt werden. „Es ist für mich wichtig, dass ich meinen Weg im Betrieb gehen kann."

Es geht nicht immer nur um Wachstum, mehr Verschuldung und um Superlative. Denn diese Generation musste sich keineswegs immer beweisen. „Sie sind im Wohlstand aufgewachsen und hatten alles. Daher haben sie ein anderes Verständnis, was ihnen fehlt." Vielmehr suchen einige der Jungen nicht den materiellen, sondern einen psychologischen Ausgleich. Sie wollen die Erfahrungen ihrer Jugend durch eine Selbstverwirklichung ausgleichen. So streben die Jungen weniger nach Hardware, sondern mehr danach, sich und das Unternehmen neu zu finden.

Es scheint, dass sie gar nicht so anders sind wie wir. Die Jungen wollen schlussendlich die Region stärken und einen noch stabileren Betrieb für die nachkommenden Generationen aufbauen.

Aber sie brauchen dafür unsere Hilfe, Geduld und ganz speziell ihren Freiraum. „Wir müssen ihre Ideen mit offenen Ohren willkommen heißen, ihnen vertrauen, sie unterstützen." Offen und ehrlich, aber respektvoll sollten sich beide Seiten begegnen. „Falls wir das nicht schaffen, verlieren wir sie, und das können wir uns nicht leisten."

Wir brauchen die Jungen, denn ohne sie können wir unsere Traditionen keinesfalls in der Region weiterführen. Ebenso kommt es zum Stillstand, falls sie sich nicht in den verschiedenen Ämtern mit ihren Meinungen einbringen. Schlussendlich muss uns bewusst werden, dass ohne die neue Generation unsere Ideale und Visionen einer Fremdbestimmung durch externe Investoren weichen werden. All dies kann einen wirtschaftlichen Abschwung der Region zur Folge haben. Wir brauchen die Jungen und sie brauchen uns.

Corona verstärkt einen Punkt dieser Generation. Sie sind kritischer, vor allem, wenn große Investitionen anstehen. „Falls eine Erweiterung des Betriebes wirtschaftlich notwendig ist, dann wird sie sehr kritisch betrachtet, denn mehr Schulden, sprich Abhängigkeiten wollen Junge immer weniger."

Wenn sie schon vor der Krise an der Bedeutung der Hardware zweifelten, so haben sie gegenüber den vorigen Generationen jetzt noch ein stärkeres Argument, sich weniger zu verschulden. Vielmehr möchten einige in eine neue Beziehung mit den Menschen und der Umwelt investieren. So kommen durch Corona genau diese Themen verstärkt auf. Themen, mit denen die neue Generation mehr Erfahrung hat.

Ebenso leben wir durch die Krise verstärkt die Gefühle der Isolation, der Entfremdung und den Zustand der Depression. All diese Emotionen waren vielen der heutigen Generation schon vor Corona bekannt. Die Krise gibt nun die Möglichkeit, die Erfahrungen der Jungen zu diesen Themen einzubringen. Sie können ihre persönlichen Erlebnisse nutzen, um sensibler auf die Gäste einzugehen oder neue Angebote zu entwickeln, die den negativen Emotionen entgegenwirken.

Zusammenfassend können wir sagen, dass die neue Generation noch mehr die Aussage leben wird: „Der Stamm muss breiter und stabiler werden, die Früchte süßer." Denn die Betriebe, die einen dickeren Stamm haben, knicken schwerer ein, auch in Zeiten anhaltender Krisen. Diejenigen von uns, die sich auf ausgewählte Früchte konzentrieren und nicht alles anbieten, *können sich stärker positionieren. Jene Praktiker*innen, die die Früchte süßer, das Angebot ehrlicher, emotionaler und erlebnisreicher machen, verzaubern damit unsere Besucher*innen. Schließlich können jene von uns, die die richtigen Früchte für die richtigen Gäste finden, eine neue menschliche Beziehung aufbauen. Das ist für einige Jungen NEXT im Tourismus.*

NEXT – EHRLICHES DESTINATIONSMANAGEMENT

„Destination, Qualität und Angebot sind der Treiber für den Erfolg der Region." „Der Qualitätstourismus ist die Lösung." „Destinationen sollten sich auf die Wertschöpfung und weniger auf das Bettenwachstum ausrichten." „Nicht jede Region wird eine Tourismusregion bleiben." „Ich sehe weitere Zusammenlegungen der Tourismusverbände." „Wir müssen uns professionalisieren und effizienter werden." „Es gibt so viel Optimierungspotenzial, so viel."

Für das Wachstum in den Ferienregionen benötigen wir mehr als nur eine schöne Vision. Vielmehr sehen wir in den Gesprächen, dass die richtige Positionierung einer Destination, eine Kombination aus drei Antworten ist. Erstens, wofür stehen wir wirklich in unserer Region? Zweitens, was würde die Gesellschaft mittragen und wie schnell kann die Veränderung vor sich gehen? Drittens der wichtigste Punkt: Wieviel Geld haben wir?

Haben wir klare positive Antworten zu diesen Fragen, dann können wir in Richtung Destinationsmanagement gehen. Das bedeutet eine weitere Professionalisierung in Konfliktlösung, Positionierung, Marke und Marketing. Eine neue Form der Zusammenarbeit mit all den Teilnehmern*innen der Region.

Dieser Schritt ist längst überfällig, denn die „Nachhaltigkeit des Tourismus in Tirol steht auf wackeligen Beinen". „Er definiert nicht mehr ganz Tirol, so wie es früher der Fall war." „Die Tourismuslandschaft ist jetzt schon ein großer Fleckenteppich und er wird noch größer und bunter werden. Eine übergreifende Strategie ist daher kaum möglich."

Solche Aussagen sind mit der aktuellen politischen Vision schwer zu vereinbaren. Denn diese wünscht sich einen flächendeckenden und auf Wachstum ausgelegten Tourismus.

Viele von uns Praktikern*innen sind hier einer anderen Meinung. Wir glauben, dass es zu einer weiteren Marktbereinigung und/oder Zusammenlegungen der Regionen kommen wird. „Eine Verdünnung im Tourismus scheint unausweichlich zu sein."

Doch sind wir im Falle einer neuen Tourismusreform heute besser vorbereitet, denn wir lernten viel seit der letzten. „Die kleinen Regionen haben nun vielmehr internationale Touristen*innen und eine bessere Auslastung als vor der Zusammenlegung." „Wir wurden nicht alle in einen Topf geworfen und hoffen, dass dies auch in der Zukunft nicht passieren wird." Denn unsere Selbstständigkeit zu verlieren, ist im Falle einer neuen Reform unser größtes Bedenken.

Deshalb kommt bei den Gesprächen immer wieder der starke Wunsch zum Ausdruck, dass „die Regionen keinesfalls ihre Charakteristiken verlieren dürfen". „Sie müssen sich einbringen und werden sich nie den noch größeren Ferienregionen unterwerfen." „Der Menschenschlag ist hier anders als 20 Kilometer weiter, und die Regionen sind stolz auf ihre jeweiligen Geschichten." Eine neue Tourismusreform sollte mehr sein als ein Zusammenschluss der Verbände. Sie muss auf der Unterschiedlichkeit der einzelnen Ferienregionen aufbauen.

Auch wenn wir glauben, dass ein solcher Zusammenschluss kommen wird, sind wir uns nicht einig, ob er fremdbestimmt sein wird. Wir sehen heute schon, dass kleine Ferienregionen aktiv anfragen, um sich größeren anzuschließen, zum Teil aus Not heraus, zum Teil aus dem Bedürfnis, zu wachsen.

Falls jedoch eine weitere Zusammenlegung von der Politik aus entschieden wird, dann werden wir ähnliche Reaktionen wie bei der ersten Zusammenlegung sehen. „Es wird zu einigem Widerstand kommen, denn die Leute haben Angst etwas zu verlieren." Doch haben wir dazu gelernt und wir können viele der kritischen Punkte schon im Vorhinein diskutieren. Wir wissen auch besser, mit unterschiedlichen Akteuren in der Region umzugehen und die Menschen mittels Gesprächen ins Boot zu holen.

Eine Vision haben wir schon. „Die nächste Reform könnte in Richtung Professionalisierung gehen." „Wir sollten von der Industrie lernen und effizienter werden, eventuell die Bereiche wie Personalabteilung, Buchhaltung, Controlling, Marketing zusammenlegen, um Kosten zu sparen." „Wir könnten die Gäste zwischen uns besser aufteilen, je nachdem welches Angebot sie suchen." „Das Auslastungsmanagement wäre sehr interessant."

Wir sehen daher einen Schritt in Richtung Kostenersparnis und gemeinsamer Prozesse, aber keinesfalls die Zusammenlegung der Einzigartigkeiten der Regionen. Schlussendlich sollten „die großen Ferienregionen die kleinen huckepack nehmen und gemeinsam einen neuen Lernprozess starten". „Denn wenn den kleinen Regionen nicht geholfen wird, dann fallen noch mehr weg."

Einige von uns sehen eine weitere Notwendigkeit sich zu verändern. Es scheint, dass „die hierarchischen Strukturen vieler Tourismusverbände einfach nicht mehr zeitgemäß sind". „In der Zukunft müssen wir immer mehr härtere und schnellere Entscheidungen treffen." Dafür benötigen wir auch eine bessere Aufteilung des Risikos in den Verbänden, denn zurzeit liegt es bei wenigen Personen. „Das operative Risiko darf nicht nur bei dem Obmann oder der Obfrau liegen."

„Diejenigen, die den Wandel vorher verschlafen haben, werden nicht mehr aufwachen." Vor Corona dachten wir noch, dass rund 10–15 % der Betriebe in den Regionen nicht überleben werden. „Nach Corona kann ich mir vorstellen, dass 20–30 % der Betriebe schließen."

"Nicht alle Betriebe haben Geld oder Nachfolger*innen oder die Eigentümer*innen das Unternehmerische im Blut, um Corona zu überleben." Nicht jede Region hat sich scharf positioniert und kann in Qualität investieren. „Diese Realität muss die Politik anfangen zu akzeptieren." Denn „wir sollten keine

falschen Hoffnungen machen, wie es um den Tourismus in einzelnen Regionen steht".

NEXT – REGIONEN GEFÜHRT ALS UNTERNEHMEN

„Wir sind einfach viel zu politisch und zu wenig unternehmerisch geworden." „Das Unternehmerische fehlt noch bei vielen von uns." „Die Tourismusverbände waren früher Ortsverschönerungsvereine, nun organisieren sie Bettenlager." „Viele Tourismusverbände leben noch im Zeitalter der Piefke–Saga, fokussieren sich noch auf Unterkünfte und denken kurzfristig." „Was sagen eigentlich Vollbelegstage über die Wirtschaftlichkeit aus?" „Wir leben in einer dynamischen Welt und unsere Kennzahlen sind zu alt dafür." „Nur weil wir ein Wachstum aufzeigen konnten, heißt es noch lange nicht, dass wir dies fortsetzen können." „Wir müssen umdenken, sonst wird das Land keinesfalls mehr die Nummer 1 im Tourismus sein."

Es scheint, dass wir unsere Kollegen*innen keineswegs immer verstehen. So sind wir auch nicht überrascht, wenn „viele durch das fehlende unternehmerische Denken nicht überleben werden". Falls einige von uns heute schon gefordert werden, so wird die zunehmende soziale, ökologische, wirtschaftliche und technologische Komplexität das Überleben im Tourismus noch weiter erschweren. „Es wird immer schwieriger für uns im Tourismus."

Mehr Technologie, unterschiedliche Gäste, neue Branding– und Marketingkonzepte, die Digitalisierung, eine mehrjährige regionale Strategie und verschiedenste Krisen werden nur einige der Herausforderungen sein. „Alles müssen wir nun können." Wir sollen Experten*innen sein in der Wertschöpfung, der Strategie, dem Branding oder auch der Digitalisierung."

Das bedeutet, „wir müssen unsere Tourismusverbände und die Regionen entrümpeln, neue Strategien aufsetzen und Mitarbeiter*innen suchen". „Es reicht nicht mehr aus, ein Landschaftsverschönerungsverein oder ein politisches Organ für wenige zu sein." „Vielmehr müssen wir eine Strategie aufsetzen, diese moderieren und gemeinsam mit der Region umsetzen."

Dabei merken wir, dass uns das Wissen vieler Themen fehlt und wir neue Leute im Tourismus benötigen. Denn nur mit den richtigen Experten*innen können wir die Veränderungen im Tourismus stemmen. „So brauchen wir weniger Selbstvermarkter*innen, die sich ins Rampenlicht drängen." Mit dieser Mentalität sind wir gewachsen, doch es scheint, „dass wir heute mehr Gehirnschmalz benötigen". Wir sollten mehr Leute suchen, die andere Ideen mit sich bringen und mit uns im Tourismus arbeiten möchten. Ebenso glauben wir, dass wir sie finden, denn „es gibt genug kompetente Menschen in der Industrie, die in den Tourismus quereinsteigen wollen".

Doch sind wir bereit zu einem solchen Schritt? Oder sind wir noch zu selbstsicher und argumentieren, „dass wir den Tourismus sehr gut kennen und niemanden brauchen, der uns sagt, wie das funktioniert und in welche Richtung er sich entwickeln wird?"

Um solchen Aussagen entgegenzuwirken, brauchen wir Mut und eine neue Offenheit. Denn in der neuen Realität geht es nicht um Perfektion, sondern darum, wie schnell wir uns anpassen können. „Perfektion kommt einem Stillstand gleich und das wäre der Tod für den Tourismus."

Um diesem Stillstand zu entkommen, müssen wir in Zukunft auch immer mehr härtere Entscheidungen treffen. „Wir werden es keineswegs mehr allen in der Region recht machen können, auch wenn das bedeutet, dass wir einige regionale Partner verlieren werden. „Wenn 10–15 % der Betriebe gegenüber einer Beratung und Professionalisierung verschlossen sind, dann investieren wir als Tourismusverband unsere Zeit woanders." „Es ist ganz einfach: Wir wollen helfen, aber wenn wir abgewiesen werden, dann bestehen wir keineswegs darauf." Die Konsequenzen müssen die Teilnehmer*innen dann selbst tragen.

Eine Effizienzsteigerung heißt auch, sich konstant zu hinterfragen. Eine dieser Fragen ist, ob wir die Aufenthaltsdauer erhöhen sollen. „Nur weil alle sagen, wir müssen sie erhöhen, macht das nicht mehr Sinn." So sind manche der Meinung, dass wir der Realität in die Augen schauen müssen und uns keinesfalls an die alten Zeiten klammern sollten. „Denn die Logik der Vergangenheit aufrecht zu halten, kostet viel Zeit und Geld und bringt wenig."

Unternehmerisch stellt sich daher die Frage: Sollten wir nicht das Geld in neue Lösungen investieren, anstatt mit allen Mitteln zu versuchen, die Aufenthaltsdauer zu erhöhen? Fehlt uns hier ein wenig die Kreativität oder sogar der Wille, andere Lösungen zu finden? Fakt ist, wir investieren viel in etwas, worüber wir nur bedingt Kontrolle haben. Wenn das der Fall ist, warum machen wir es? Muss der Luxusaufenthalt länger sein oder können die Gäste unsere regionalen Angebote anders erleben? Reduziert eine längere Aufenthaltsdauer signifikant das Verkehrsproblem oder müssen wir auch für die Einheimischen neue Verkehrslösungen finden? Kann die Wertschöpfung auch mit Qualität und „weniger" erhöht werden?

Auch wenn viele von uns bei den Gesprächen unterschiedlicher Meinungen sind, „müssen wir endlich aufwachen und realisieren, dass unser Tourismus nicht mehr so sein wird wie früher." Wir haben weniger und weniger Kontrolle, denn unsere Tourismusindustrie wird komplexer.

Die gleiche Logik gilt für Institutionen. Wenn „die Tirol Werbung zu langsam ist oder auf andere Prioritäten setzt, dann betreiben wir das Marketing ohne sie". Härtere Entscheidungen werden von den Praktikern*innen getroffen werden. Auch die Politik wird diesem Sog schwer entkommen, speziell wenn nach Corona die Diskussion aufkommt, wo gespart werden kann. Eine neue Diskussion über die Subventionierung von kleinen Bergbahnen bis hin zu Gasthäusern scheint wieder möglich. Das Positive ist, egal welche Entscheidung getroffen werden wird, wir müssen uns noch intensiver mit dem Tourismus in Tirol beschäftigen. Der Nachteil ist, dass „die harten Entscheidungen, immer schneller getroffen werden müssen, um den Tourismus wieder zu beleben".

Eins ist klar: Es gibt immer Gewinner*innen und Verlierer*innen. Diejenigen, die einfach so weitermachen, die keine Inspirationen suchen, keine Schulungen besuchen, keine Zeit finden, „werden schimpfen, dass die Gäste ausbleiben oder sich verändert haben". „Egal, was wir machen, sie werden ihre Schuld auslagern und mittelfristig nicht überleben." Schließlich müssen wir akzeptieren, dass „wir alle die Gäste bekommen, die wir verdienen".

Tourismus wurde entwickelt, gestreckt und ist auf dem Weg, sich wieder zu finden. „Wir sind viel zu viel um jeden Tag, dem finanziellen Erfolg hinterhergelaufen." Viel mehr noch, „haben wir uns, dank des Wettlaufs um die beste Infrastruktur, auf zu wackelige Beine gestellt". Natürlich war dies vielen von uns bewusst und wir lernten mit Krisen und Krediten zu leben.

Doch Corona ist anders. Einfache und leicht vergebene Kredite werden nun gnadenlos bestraft. Wir zahlen heute die Rechnung für unser schnelles Wachstum, für die Preiskonkurrenz und eine oft zu unscharfen Positionierung.

Unser System wurde auf Wachstum getrimmt, oder anders gesagt, wir priorisierten den bekannten Alltag. So hatten wir nie Zeit, uns kritisch zu hinterfragen. Die Krise machte für uns einen Schritt zurück und bremste uns vom Overtourismus in den Stillstand. Auch wenn wir nun bald wieder Gas geben, sollte Corona für uns ein Warnschuss sein. Ein Weckruf, uns zwischen den Extremen des blinden Wachstums und des Stillstands zu finden.

NEXT – TIROL SOLL TEURER WERDEN

„Wir bieten unsere Leistungen zu billig an." „Es ist noch viel Luft nach oben." „Im internationalen Vergleich sind wir zu billig." „Denn wir sind eine Qualitätsmarke mit einer exzellenten Infrastruktur." „Suchen die Gäste ein ähnliches Angebot und diese Qualität, dann würden sie woanders viel mehr zahlen."

Fast alle von uns sind der Meinung, dass wir unsere Leistungen zu billig in Tirol anbieten. „Wir müssen teurer werden, damit die richtigen Gäste zu uns kommen." Wenn wir uns von dem alten Wachstumsgedanken abwenden wollen, hin zu einer Erhöhung der Wertschöpfung, dann brauchen wir die kaufkräftigen Gäste. „Gäste, die nicht eine Jause beim lokalen Supermarkt einkaufen, sondern in ein Restaurant gehen."

Für diese Besucher*innen sind wir auch bereit, mehr in die Qualität zu investieren, immer mehr neue Angebote, Erlebnisse und Erfahrungen zu schaffen. Nur so argumentieren wir, können wir die Wertschöpfung erhöhen.

„Denn die Rechnung ist einfach Preis x Menge" und mit den falschen Gästen bekommen wir zwar die Menge hin, doch dann kommen wir in den Overtourismus der uns wenig die Wertschöpfung erhöht. Eine Richtung, die weder von uns noch von der Bevölkerung erwünscht ist. „Mehr Gäste erhöhen für uns die Kosten, nutzen die Infrastruktur schneller ab, passen oft nicht in die Ferienregion und lassen weniger Geld liegen."

Zurzeit sehen wir verschiedene Wege, wie wir den Preis erhöhen können. Einige Betriebe von uns machen eine kleine jährliche Preisanpassung mit einer gleichzeitigen Verbesserung des Angebots. Andere erhöhen die Servicequalität mit gleichem Angebot. Einige Regionen wollen die Wertschöpfung erhöhen, indem sie keine Gratisangebote mehr anbieten. Aber wir sehen auch Kollegen*innen, die den Preis erhöhen möchten, ohne jegliche Veränderung im Angebot oder in der Qualität.

Was wir hier bemerken ist, dass unser Tourismusgedanke nicht unterschiedlicher sein kann. Doch auch mit all diesen verschiedenen Meinungen lassen sich zwei Punkte hervorheben.

Erstens, zu viel wird kostenlos angeboten. Dadurch, dass wir Gäste anlocken mussten, entwickelte sich eine Gratiskultur. „Alles gratis anzubieten bringt keinen Wert und führt nur zum Ausverkauf." „Die Gratiskultur schädigt unsere regionale Wahrnehmung und zieht die falschen Gäste an."

Wir wussten, dass dies kein richtiger Ansatz war und doch entwickelten wir uns in diese Richtung. Oft nur aus Gründen des Wettbewerbes zwischen den Regionen. Wir reproduzierten das gleiche Problem der Infrastrukturen, der Saunalandschaften, der Skipisten und es scheint, wir können aus diesem Denken nur schwer ausbrechen. „Denn auch bei den Regionalkarten versuchten wir besser zu sein als die anderen Regionen". All dies, um die Gäste zu uns zu locken. Heute stehen wir daher vor einem Problem. So dürfen wir uns nicht wundern, dass wir bei diesen Angeboten nicht rentabel sind. „Die Errichtungen, die Instandhaltung, die Werbung, alles kostet Geld."

Die Gratisangebote müssen sich ändern, speziell jene, die wir in den Sommermonaten gefahren sind. Denn wir sind der Meinung, dass wir früher statt später die Wertschöpfung erhöhen müssen. Kostenlos passt hier nicht dazu.

Aber was können wir ändern? „Wir müssen diese Regionalkarten und heutigen Gratisangebote als Mehrwert anpreisen und dafür Geld verlangen." Hier könnten neue digitale Lösungen einen zusätzlichen Mehrwert schaffen. Neue Konzepte, die den Komfort der Gäste erhöhen. Die den Stress reduzieren bei der Entscheidungsfindung, Anreise, Abreise und während des Aufenthalts. Vielleicht können wir so die Gäste dazu bewegen, mehr zu zahlen. Falls wir aber keine Lösung finden, dann „bleibt uns immer noch, auf die Ortstaxen auszuweichen, von Hunden bis zu Kindern". Denn eines ist sicher, der „Gratis–Wettbewerb" wie wir ihn heute leben, schädigt uns alle.

Der zweite Gedanke, der bei den Gesprächen über eine Preiserhöhung aufkommt, ist der schon vorher diskutierte Qualitätsgedanke. „Der Topurlaub muss einfach das Geld wert sein."

Das heißt zusammenfassend, weniger Gratisangebote anbieten und mehr Qualität liefern. Falls wir eine Lösung finden, wie wir den Preis kontinuierlich erhöhen können, haben wir den ersten Schritt gesetzt. Doch sollten wir bei diesen Gedanken auch die

Wahrnehmungen der Gäste und der Einheimischen über den Tourismus berücksichtigen.

Weder unsere Besucher*innen noch die Bevölkerung sollte spüren, dass es „das Geilste ist, noch mehr Umsatz zu machen noch, dass viele von uns gerne im Mittelpunkt stehen wollen. Denn das müssen wir ändern". „Vielmehr müssen wir lernen, uns weniger wichtig zu nehmen und weniger zu protzen." Natürlich haben wir das Recht, gut zu verdienen, doch wir müssen unseren Erfolg keinesfalls immer zur Schau stellen. Denn solange der Gewinn allein im Vordergrund ist, glauben die Gäste, dass sie zu viel für das Angebot zahlen, beschweren sich die Einheimischen und die Mitarbeiter*innen fühlen sich ausgebeutet. Daher sollte unsere Strategie sein, dass wir einen klaren Mehrwert für alle Beteiligten generieren und dass wir uns selbst weniger wichtig nehmen.

Zudem werden wir noch aktiver die Gäste auswählen, falls wir den Preis erhöhen. Das heißt, „weniger Junge und weniger junge Familien, denn für die ist diese Positionierung kaum leistbar". Die Jungen und die Neugierigen suchen sich dann einen guten Preis woanders. Auch wenn einige von uns argumentieren, dass Tirol Angebote für jede Preisklasse und für jede*n Neugierige*n hat, so müssen wir aufrichtig zu uns sein, dass dies nur sehr bedingt Realität ist.

Schlussendlich hat der Wunsch, „der Tourismus in Tirol muss teurer werden", Auswirkungen auf unsere Beziehung zu den Einheimischen. Denn „schon heute wird lautstark über den nicht leistbaren Wohnraum geklagt". „Tirol ist schlichtweg für die meisten der Bevölkerung zu teuer zum Leben, oder um bei uns Urlaub zu machen".

Unsere Idee, den Preis im Tourismus zu erhöhen und alle Serviceangebote zu bepreisen, wird schwer von der Bevölkerung mitgetragen werden. Hier schließt sich wieder der Kreis und wir müssen uns fragen, was wir wollen. Tourismusgesinnung, höhere Preise, eine scharfe Positionierung. Alles gleichzeitig geht leider nicht. Was kommt als erstes?

Dann kam noch Corona ins Spiel. „Wir werden die Spreu vom Weizen trennen." Die Auswirkungen der Krise kann eine positive Entwicklung auf den Qualitätstourismus haben, denn weniger Angebote und eine gute Nachfrage führen zu Preissteigerungen. „Das ist traurig, aber die Verdünnung kann Tirol helfen, die Preisschlachten weniger werden zu lassen." Denn „es gibt nichts Schlimmeres, als Qualität zu einem billigen Preis am Markt anzubieten".

Ob nun Corona den Preis nach unten drückt, sei dahingestellt. In den Sommermonaten schien es, als hätten wir ihn gut gehalten. Diejenigen, die schon zuvor mit Spottpreisen den Markt überflutet haben, werden dies nach Corona weiter betreiben. Wir können solch eine Strategie unseren Kollegen*innen nicht übelnehmen, schließlich sind die Krise und die Jahre danach ein Überlebenskampf. Eines scheint aber klar zu sein, Corona hat die Schere zwischen den verschiedenen Klassen des Qualitätstourismus weiter geöffnet.

NEXT – ORGANISATIONEN DES LANDES, KLARER POSITIONIERT

„Keine Ahnung, was die machen." „Die Landestourismusorganisation sucht schon seit 10 Jahren ihren Platz." „Zurzeit hat es den Anschein, dass sie nur für sich selbst existiert." „Diese kontinuierliche Umstrukturierung schwächt uns." „Die Landestourismusorganisation fühlt sich mehr an wie ein Amt, denn man kündigt nicht, man wechselt ein wenig und stellt sich alle Jahre anders, aber doch wieder gleich auf." „Wir brauchen einen frischen Wind." „Zurzeit ist die Landestourismusorganisation Verwalter und kein Gestalter." „Sie steht still."

Wir schätzen die Arbeit, die die Landestourismusorganisation geleistet hat, um unsere starke Marke Tirol aufzubauen, „doch wurde diese Marke uns nun unter den Füßen weggezogen". „Sie ist beim Verblassen, weil versucht wird, es allen gerecht zu machen."

Heute scheint es, dass wir nur die gewachsenen Strukturen leben und ab und zu versuchen, diese anzupassen. Sie sind wie Gewohnheiten und haben eine eigene Schwerkraft, die eine Zeit nachhängt. So hinken auch die Institutionen den Veränderungen nach. „Es gibt zu wenig Transparenz, was jede einzelne Institution im Tourismus macht." Ohne diese Klarheit, „machen wir einfach so weiter: ohne gelebte Vision oder Strategie". So scheint es, „dass jeder allein vor sich hinlebt, und keine übergeordnete Orientierung oder ein geplantes Zusammenspiel existiert".

Für unsere großen Regionen ist der Alleingang kein gewaltiges Problem. Entwickeln sie doch ihre Fünf– oder Zehn–Jahresstrategie, haben eine Vision aufgesetzt und treiben ihr Branding und Marketing immer professioneller voran.

Die kleinen Ferienregionen allerdings, die noch keine klare Positionierung haben, stehen in einer großen Abhängigkeit zu den Institutionen. Sie leben einen sehr unterschiedlichen Tourismus und „wir brauchen den Mut anzusprechen, dass er vielleicht nicht für jede Region nachhaltig und die Lösung für die nächsten Jahre ist".

Hier liegt die große Herausforderung für die Landestourismusorganisation. Was soll sie vertreten und welche Touristiker*innen soll sie unterstützen? Steht sie für die kleinen Regionen? Ist sie ein Inbegriff für den Lebensraum? Repräsentiert sie die Politik oder die Industrie? „Alles politisch unter einem Hut zu werfen macht keinen Sinn. Das ist wenig praktisch." „Es ist nicht alles gleich und wir wissen es."

So brauchen wir eine Entscheidung, und diesmal sogar eine politische. Doch wir sehen, „dass der Mut für eine klare Entscheidung in der Politik anscheinend fehlt." So liegt die Zukunft von Tirol bei uns Praktikern*innen. „Der Tourismus in Tirol ist ein Leistungsversprechen von uns." Daher müssen wir klare Entscheidungen treffen, wie es weitergehen soll.

Wir sehen, dass Praktiker*innen sich noch mehr zusammenschließen. Eine Lösung in einer kleinen Gruppe von neuen praktischen Inspiratoren*innen und Innovatoren*innen, die bereit sind, über den Tellerrand hinauszuschauen. Eine Gruppe, die experimentiert und schnellere und gegebenenfalls auch härtere Entscheidungen trifft und die Investitionen für neue Wege in den Regionen stemmen kann.

„Denn die Zukunft wird von den Praktikern*innen bestimmt und umgesetzt." Das bedeutet auch, dass das Marketing und die Professionalisierung immer stärker von den großen Ferienregionen vorangetrieben werden. Die Notwendigkeit der Tourismusgesinnung wird von den Regionen in ihre Planung integriert. „Nur das Thema der Digitalisierung steht noch im Raum."

Doch hat es den Anschein, dass die Umsetzung dieses Themas wieder bei uns Praktikern*innen und in den Regionen liegen wird. Betrachten wir nun alle diese Themenbereiche, dann stellt sich die Frage. Was macht dann die Landestourismusorganisation: Vielleicht wird sie ein Ideengenerator für die Regionen? Wir haben jedenfalls keine Antwort auf diese Frage.

Corona hat die „Politik in den Vordergrund gestellt und zeigt auf, wie schnell wir in bestimmten Situationen fremdbestimmt werden können". Egal ob politische Institution, die Region, der Betrieb oder die Gäste, wir leben eine totale Fremdbestimmung. Auch wenn wir die Notwendigkeit in solch einer gesellschaftlichen und wirtschaftlichen Krise, die die Pandemie auslöste, verstehen, so sehen einige von uns die Möglichkeit einer Fremdbestimmung als bedenklich an. Wir können davon ausgehen, dass viele im Tourismus nach Corona nach mehr Freiheit streben und noch schneller agieren müssen, um die Verluste auszugleichen. Wir glauben auch, dass die kleinen Regionen noch mehr Hilfe und zielgerichtete Unterstützung von den Institutionen benötigen werden. „Wer weiß, vielleicht hilft Corona, dass sich die Landestourismusorganisation findet."

WAS IST TOURISMUS NEXT FÜR SIE?

Gerne können sie mitdiskutieren und ihre Meinung zum Thema teilen. Scannen sie einfach den QR Code mit ihrem Mobiltelefon ein oder besuchen sie www.danielegger.com.

www.ingramcontent.com/pod-product-compliance
Lightning Source LLC
Chambersburg PA
CBHW050503080326
40788CB00001B/3975